PROF

Collection cré

C000048721

À la lumière d'hiver

(1977)

précédé de
Leçons

et de
Chants d'en bas

PHILIPPE JACCOTTET

MICHEL VINCENT

agrégé de l'Université

docteur ès lettres

Sommaire

© HATIER, Paris, 2011   ISSN 0750-2516   ISBN 978-2-218-94861-9

Les indications de pages renvoient à : Philippe Jaccottet, À la lumière d'hiver, Paris, © Éditions Gallimard, collection « Poésie », 1994.

Maquette : Tout pour plaire

Mise en page : Studio LG Compo

Suivi éditorial : Luce Camus

FICHE PROFIL

Leçons (version remaniée en 1977)
Chants d'en bas (version remaniée en 1977)
À la lumière d'hiver (1977)

Philippe Jaccottet (né en 1925)

Poésie   XXᵉ siècle

PRÉSENTATION

Leçons est un recueil de vingt-deux poèmes, précédés d'un poème liminaire. C'est un « livre de deuil » à double titre. D'abord un deuil affectif : Jaccottet y ressent douloureusement la disparition de son beau-père, Louis Haesler, dont il évoque, étape par étape, l'agonie puis la mort. Mais c'est aussi un deuil poétique : cette insupportable confrontation à la mort rend inutile et dérisoire toute poésie. Que peuvent en effet les mots et les images contre la mort ? Rien. Mais même si le langage ne peut tuer la mort, du moins peut-il la décrire au plus juste, au plus près de ce qu'elle a d'innommable et d'inconnu.

Chants d'en bas est un autre « livre de deuil » composé à l'époque du décès de la mère du poète. Ce recueil de quinze poèmes, également précédés d'un poème liminaire, se divise en deux sections. La première, intitulée *Parler*, comporte huit poèmes. Écoutant avec plus d'attention ceux qui sont « en bas », les morts, Jaccottet poursuit le procès du langage et de son impuissance à agir sur les choses. La seconde partie, comportant sept poèmes et intitulée *Autres chants*, tente de trouver une issue à la crise poétique traversée par Jaccottet. Face à la mort et à la précarité de l'existence, quelle poésie reste encore possible ? Ce sera une poésie humble, consciente de ses limites, mais qui s'efforce de renouer des liens avec les morts, avec les vivants, avec le monde extérieur et le monde intérieur. Encore convient-il de trouver le « passage », le chemin, qui permette cette réconciliation.

À la lumière d'hiver laisse dès son titre entrevoir ce passage. Ce titre suggère l'association de deux contraires : la mort de la nature, évoquée par l'hiver, et la clarté, symbole de vie et d'espérance. Le recueil compte quatorze poèmes plus un poème liminaire, répartis en deux sections, numérotées I et II. La première section revient sur l'impuissance de la parole poétique. C'est à la fois une prolongation et un approfondissement du thème développé dans les deux précédents recueils. La seconde partie n'en capte que mieux la « lumière ». Le thème amoureux s'y déploie en images oniriques et érotiques. La nuit cesse d'être synonyme de détresse et de mort. Elle brille désormais d'un éclat particulier. Ce n'est donc plus la vie contre la mort ni la mort contre la vie, mais la vie et la mort indissolublement liées. À la poésie de saisir et de traduire en mots ce tissage. Alors viendra l'apaisement.

CLÉS POUR LA LECTURE

1. La mort : un innommable dégradant
La poésie de Jaccottet ne cesse de parler de la mort pour en dire l'horreur, l'absurdité et l'inhumanité.

2. Quels mots contre la mort ?
Le langage poétique traditionnel – qu'on appelait autrefois « chanter » – est impuissant à exprimer cette réalité de la mort. Il faut trouver un autre langage, une nouvelle voie poétique.

3. Une parole poétique fragile et hésitante
Conscient de ses limites, cet autre langage sera celui de l'éphémère, de la recherche d'un lien entre morts et vivants.

4. Un nouveau lyrisme
Discret, ce nouveau lyrisme accorde une large place à la « voix », et non plus à un « je » autobiographique.

5. La pratique du vers libre
Dans ces trois recueils, Jaccottet pratique une versification affranchie de toute contrainte métrique.

Repères biographiques

Philippe Jaccottet est né le 30 juin 1925 à Moudon, près de Lausanne, dans le canton de Vaud, en Suisse romande (francophone).

UNE VOCATION POÉTIQUE PRÉCOCE
(1925-1946)

Marquée par la rigueur d'une éducation protestante, l'enfance de Jaccottet est solitaire, parfois triste. Jamais il n'idéalisera l'enfance, cette période, dira-t-il, où le monde extérieur demeure incertain et encore étranger. C'est à l'adolescence, quand il prend conscience de la beauté et de la fragilité de la vie, que s'affirme sa vocation poétique. À 15 ans, il offre à ses parents un ensemble de poèmes, *Flammes noires*, resté à ce jour inédit.

La rencontre en 1941 du poète et traducteur suisse Gustave Roud (1897-1976) exerce sur lui une influence décisive. Par son intermédiaire, il découvre Rimbaud[1], Mallarmé[2] ainsi que les romantiques allemands[3]. Une longue amitié s'ensuivra entre les deux hommes. Après son baccalauréat, Jaccottet entreprend des études de lettres à l'université de Lausanne. Il s'essaie au théâtre, publie dès 1944 quelques poèmes dans des revues spécialisées. En 1945 paraît son premier recueil, *Trois Poèmes aux démons*. En 1946, Jaccottet obtient sa licence de lettres. Il a vingt et un ans.

---

1. Arthur Rimbaud (1854-1891), auteur notamment d'*Une Saison en enfer* (1873) et d'*Illuminations* (1886).
2. Stéphane Mallarmé (1842-1898), auteur notamment de *Brise marine* (1865) et de *L'Après-midi d'un faune* (1876).
3. En particulier l'Allemand Friedrich Hölderlin (1770-1843) et l'Autrichien Rainer Maria Rilke (1875-1926).

VOYAGES, AMOUR ET POÉSIE (1946-1953)

Ne désirant pas enseigner, Jaccottet se met à voyager : d'abord en Italie où il fait la connaissance du poète Giuseppe Ungaretti (1888-1970), puis en France où il finit par s'installer. Résidant à Paris, de 1946 à 1953 il effectue, pour subvenir à ses besoins, des traductions pour le compte de l'éditeur Mermod. C'est chez ce dernier qu'il fait paraître, en 1947, *Requiem*, poème composé après avoir vu des photographies de corps suppliciés d'otages et de résistants durant la guerre. Jaccottet fréquente alors les milieux littéraires de la capitale : notamment ceux de la *NRF* (la *Nouvelle Revue Française*, qui deviendra la maison d'édition Gallimard) et de la revue *84*. Il noue ainsi des liens étroits avec de nombreux poètes de sa génération : Francis Ponge (1889-1988), Yves Bonnefoy (né en 1923), Jacques Dupin (né en 1927), Pierre Leyris (1907-2001), André Dhôtel (1900-1991)…

En 1953, il publie chez Gallimard *L'Effraie*, une interrogation et une méditation sur la mort. Cette même année, il épouse l'artiste peintre Anne-Marie Haesler. Le couple s'installe à Grignan, dans la Drôme. Deux enfants naîtront : Antoine en 1954, et Marie en 1960. Dès lors la vie de Jaccottet, entrecoupée de voyages, se confond avec son œuvre.

UN TRADUCTEUR ET UN CRITIQUE LITTÉRAIRE (1953-2009)

Aux côtés de son épouse qui poursuit sa propre œuvre artistique et qui illustrera certains de ses textes, Jaccottet consacre une partie de son temps à des traductions ainsi qu'à la rédaction de chroniques et d'études littéraires. En effet, une de ses originalités et passions a toujours été de faire connaître l'œuvre des écrivains qu'il admire. La traduction lui assure en outre une relative indépendance financière. La première qu'il effectue remonte à 1947 : c'est celle de *La Mort à Venise* de l'Allemand Thomas Mann (1875-1955). Elle est suivie de beaucoup d'autres : *L'Homme sans qualités* (1958) de l'Autrichien Robert Musil (1880-1942) ; l'*Odys-sée* (1959) d'Homère ; *Solitudes* (1984) de l'Espagnol Gongora (1561-1627) ; *Poèmes épars* (1970) de l'Autrichien Rainer Maria Rilke (1875-1926) ; *Hypérion* (1967) de l'Allemand Friedrich Höl-derlin (1770-1843)... En 1968, il publie un *Gustave Roud,* consa-cré à l'œuvre poétique de son ami, et en 1970, il fait paraître un *Rilke par lui-même.*

Parallèlement, Jaccottet rédige de nombreux articles et études pour des revues suisses et françaises. *L'Entretien des Muses* (1968) et *Écrits pour papier journal* (1994) rassemblent les plus importants. Dans *De la poésie* (2005), il livre ses réflexions sur son expérience poétique et sur sa conception de la création.

DOUTES ET ORIGINALITÉ

Jaccottet hérite et s'affranchit tout à la fois du surréalisme[1]. Il en conserve le refus de toute contrainte, notamment formelle. Comme les surréalistes et certains de leurs prédécesseurs immédiats (Apollinaire, Cendrars), il ne confond pas poésie et versification (→ PROBLÉMATIQUE 5). Comme eux, il s'intéresse au rêve et au fantasme. Mais il s'en distingue par son questionnement sur la poésie et le langage. À quoi sert la poésie ? Est-elle d'une quelconque utilité dans le monde moderne ? Que peut-elle contre la mort ? Et que peuvent les mots dans ces conditions ? Jaccottet est un poète qui doute de la poésie, de ses pouvoirs et intérêts. Ses interrogations et ses doutes expliquent ses constants va-et-vient entre la prose et la poésie. *La Promenade sous les arbres* (1957), *L'Obscurité* (1961), les trois tomes de *La Semaison* (1984-2001) et *Une transaction secrète* sont des œuvres en prose, renfermant des réflexions critiques sur sa pratique poétique. Sous sa plume, la distinction entre prose et poésie tend d'ailleurs progressivement

---

1. Animé par André Breton (1896-1966), ce mouvement littéraire se propose dès les années 1920 de révolutionner la pensée et les arts en faisant une large place à l'inconscient et au rêve, et en les libérant des contraintes de la raison et de la logique.

à s'effacer pour créer une prose poétique comme dans *Paysages avec figures absentes* (1976) ou *Cahiers de verdure* (1990).

LEÇONS, CHANTS D'EN BAS, À LA LUMIÈRE D'HIVER : TROIS RECUEILS MAJEURS

Le questionnement de Jaccottet sur son art trouve son expression la plus élaborée dans trois de ses plus importants recueils. Composés à la suite de la mort de son beau-père puis de sa mère, *Leçons* (1969) et *Chants d'en bas* (1974) illustrent la difficulté d'écrire et de vivre la poésie quand tout s'écroule et que les souffrances deviennent insupportables. *À la lumière d'hiver* (1977) sera l'apprentissage d'une poésie modeste, la lente remontée vers l'apaisement. Si la poésie est définitivement sans pouvoir contre la mort, du moins peut-elle devenir repos, consolation, amour de la nature et du monde.

Cette expérience humaine en même temps que cette pratique et cette conception personnelles de la poésie ont valu à Jaccottet d'être unanimement et dès son vivant reconnu comme l'un des poètes majeurs de notre temps. Lauréat de très nombreux prix littéraires, tant en France qu'à l'étranger, il est l'auteur d'une œuvre non encore achevée. Son dernier ouvrage de poésie, *Ce peu de bruits*, est paru en 2008 et *Le Combat inégal*, CD de poèmes lus, en 2010.

PREMIÈRE PARTIE

Présentation et repères pour la lecture

LEÇONS

Leçons comporte vingt-deux poèmes, plus un quatrain liminaire. Composé en 1966-1967, le recueil a été publié en 1969 et remanié en 1977.

LE TITRE

Il superpose plusieurs sens du mot « leçon ». Une « leçon », dans son sens le plus courant (scolaire par exemple), c'est ce que l'on apprend. C'est aussi, dans le vocabulaire religieux, la lecture de textes bibliques, notamment les mercredi, jeudi et vendredi saints[1], évoquant la passion[2] du Christ. Dans le double domaine religieux et musical, le mot « leçon » renvoie aux célèbres *Leçons de ténèbres* que composèrent, chacun de leur côté, Marc-Antoine Charpentier (1635-1704) et François Couperin (1688-1733). C'est enfin, dans le vocabulaire technique de l'édition, la version que retient un éditeur entre différents états d'un texte, c'est-à-dire la « lecture » qu'il en fait.

Ces « leçons » désignent ce que Jaccottet apprend de la mort – non pas de *la* mort en général, en quelque sorte abstraite, mais d'*une* mort particulière, celle de son beau-père, Louis Haesler. Le poète entend ainsi lire, décrire au plus juste, au plus vrai, la réalité d'une agonie. Il apprend ce que la mort dit sur la condition humaine et tente, par la poésie, de faire de cette leçon un chant.

---

1. Dans la croyance chrétienne, le mercredi et le jeudi saints précèdent la crucifixion du Christ qui a lieu le vendredi saint, avant sa résurrection le dimanche de Pâques.
2. *La passion* : le chemin de croix, la crucifixion et la mort du Christ.

Un quatrain liminaire

PRÉSENTATION

Bien qu'il ne soit pas nommément identifié, ce « il », que tout le recueil va évoquer, n'est pas un simple anonyme. C'est un mort dont le poète va rappeler « la fin » (v. 3). C'est, par une allusion au « plomb » (v. 2), un imprimeur[1]. C'est enfin une haute figure morale, toute de droiture (v. 3).

REPÈRE POUR LA LECTURE

Une épigraphe et une épitaphe

L'épigraphe est une inscription placée sur un édifice pour en indiquer la date de construction, la nature ou la fonction. L'épitaphe est une inscription gravée sur une tombe qui désigne et parfois décrit la personne qui y repose. Le recueil étant l'édifice, ce quatrain liminaire fonctionne comme une épigraphe parce qu'il s'annonce comme un écrit sur la mort. Il est une épitaphe déposée sur le tombeau, littéraire, d'une personne précise.

« AUTREFOIS... » (p. 11)

« RAISINS ET FIGUES... » (p. 12-13)

« JE NE VOUDRAIS PLUS QU'ÉLOIGNER... » (p. 14)

La fin des certitudes

PRÉSENTATION

Construit sur une opposition entre « autrefois » et « à présent », le premier poème (p. 11) de *Leçons* est une rupture avec le passé. Le poète (« Je ») renonce à toute certitude, à tout ce qu'il croyait

---

1. Avant l'informatique, les imprimeurs composaient les livres mot à mot, lettre après lettre, avec des caractères en plomb.

auparavant savoir. Le deuxième poème (p. 12-13) prolonge et explicite le premier. La réalité concrète de la mort rend dérisoire les facilités poétiques. Le troisième poème (p. 14) n'est qu'humilité. Sans autre ambition désormais que d'être « clair », exact et vrai, le poète se fait écoute, devient l'élève des « hommes vieux ». C'est pour reconnaître qu'il est « le pire » des mauvais élèves.

REPÈRES POUR LA LECTURE

Un rejet des conceptions traditionnelles de la poésie

Ces trois premiers poèmes dressent paradoxalement un bilan. Et ce bilan est l'aveu tout à la fois d'un échec et d'une impuissance : les mots ne peuvent rien contre la mort ; ils ne peuvent ni l'empêcher ni en adoucir la violence. Aussi le poète d'« à présent » (p. 11, v. 8) ne se reconnaît-il plus dans le poète qu'il était « autrefois » (p. 11, v. 1). *Leçons* rompt en effet avec *L'Effraie* (publié en 1954) auquel renvoie l'adjectif « effrayé ». Il rompt aussi avec *L'Ignorant* (publié en 1956) auquel renvoie l'adjectif « ignorant » (p. 11, v. 2).

Rompant avec sa production poétique antérieure, le poète renonce à l'idéal qui l'animait naguère. Il ne peut plus être un nouvel Orphée[1] qui prétendrait vaincre la mort ou, à défaut, qui voudrait guider et apaiser les mourants. La parole poétique traditionnelle ne peut que se résigner à son inutilité (p. 12-13). Même la célébration lyrique de la nature et des paysages devient dérisoire.

Un refus d'embellir la mort

La mort ne saurait dès lors être esthétisée, ornée ou magnifiée. Plus de « fruits » ni d'« oiseaux » (p. 12, v. 1 et 17) mais « plutôt » d'humbles objets et linges (v. 20), nécessaires aux soins et à la toilette de l'agonisant. À la parole ne peuvent succéder que le silence et une proximité compatissante et attentive du « cœur ».

---

1. Charmant par son chant et sa musique les dieux et les mortels, Orphée tente vainement d'arracher Eurydice, qu'il aime, aux Enfers, c'est-à-dire à la mort. Orphée est considéré depuis l'Antiquité comme le père de la poésie, d'une poésie douée de pouvoirs extraordinaires, divins. C'est à cette conception que renonce Jaccottet.

L'entrée en agonie

PRÉSENTATION

« Sinon le premier coup… » (p. 15) : quand l'agonie débute-t-elle vraiment ? L'« éclat de la douleur » (v. 1-2) en marque « sinon » le commencement, du moins la prise de conscience chez les proches du mourant.

« Une stupeur… » (p. 16) : à cette prise de conscience de l'entourage correspond celle du mourant. Celui-ci est d'abord incrédule : comment « cela » (v. 2) – cet innommable qu'est la mort – est-il possible ? Puis une « tristesse » (v. 3), immense, l'envahit.

« Entre la plus lointaine étoile et nous… » (p. 17) : cette prise de conscience réciproque n'instaure pourtant aucune communication. Entre les proches et le mourant, la distance devient au contraire « inimaginable » (v. 2), infranchissable. C'est que même s'il est encore physiquement présent, le mourant est déjà dans un « ailleurs » inaccessible.

« Mesurez, laborieux cerveaux… » (p. 18) : le quintil (strophe de cinq vers) est une injonction insistante que le poète adresse aux hommes pour qu'ils réalisent combien dans ces circonstances l'incommunicabilité est absolue. Aucun vivant n'a en effet une expérience intime de la mort.

REPÈRES POUR LA LECTURE

La description de l'agonie

L'agonie est présentée comme une triple régression. Régression temporelle : le « maître » redevient « enfançon » [= petit enfant] (p. 15, v. 5). Régression spatiale : il occupe un lit désormais trop grand. Régression physique enfin : l'amaigrissement est spectaculaire (p. 15).

Une violence tragique

Trois grands procédés d'écriture expriment la cruauté de l'agonie :
– l'opposition entre un passé heureux, mais révolu, et un présent insupportable (p. 15-16) ;
– la solitude (p. 17-18) et le dénuement du mourant (répétition de la préposition « sans », p. 15) ;
– l'impuissance douloureuse des proches (p. 17-18).

Une incompréhension tragique

Pourquoi faut-il mourir ? Pourquoi le « bon maître » doit-il être « châtié » (p. 15, v. 4) ? Quelle faute lui faut-il expier ? Au nom de quoi ou de qui ? La mort est un inconnu injustifiable.

« M U E T … » (p. 19)

« Q U I   M ' A I D E R A   ? … » (p. 20)

« C ' E S T   S U R   N O U S   M A I N T E N A N T … » (p. 21)

Une double et irrémédiable solitude

PRÉSENTATION

« Muet… » (p. 19) : déjà vain, le langage désormais s'abolit. Même si des mots étaient encore prononcés, ils ne seraient ni entendus ni compris. Le mourant a oublié « notre langue » (v. 7). Il est définitivement seul, laissant les vivants se pétrifier dans leur impuissance.

« Qui m'aidera ?… » (p. 20) : le poète en est réduit à imaginer les paroles que pourrait prononcer le mourant. Ce sont des mots d'effroi et d'irrémédiable solitude. Mais ces paroles sont-elles seulement pensées ?

« C'est sur nous maintenant… » (p. 21) : devant le travail invisible de la mort, qui pourtant se déroule sous leurs yeux, les proches sont « pleins d'horreur et de pitié » (v. 14).

Un pathétique absolu

Expression de la souffrance physique et morale, le pathétique imprègne ces trois poèmes. Non seulement, personne ne peut plus rien pour autrui, mais tous en ont conscience. Le sentiment de solitude n'en est que plus profond. L'image du « coin[1] » (p. 21, v. 9) qui s'enfonce dans la chair illustre la violence de l'agonie.

Un indicible à l'œuvre

Ce qui se passe chez le mourant est proprement indescriptible. Le poète ne peut dès lors recourir qu'à des approximations (« C'est comme si… », p. 19, v. 11), qu'à des interrogations (« pour passer sous quoi ? » p. 19, v. 13 ; « est-ce ainsi qu'il se tait ? », p. 20, v. 9), qu'à des formules indéfinies (« quelque chose », p. 21, v. 21).

« ON PEUT NOMMER CELA HORREUR… » (p. 22)

« MISÈRE… » (p. 23)

« UN SIMPLE SOUFFLE… » (p. 24)

Un apprentissage cinglant

PRÉSENTATION

« On peut nommer… » (p. 22) : la mise en cause de la parole poétique se poursuit. Quels mots, même vulgaires, pourraient en effet décrire ce qui se passe ?

« Misère… » (p. 23) : violente, la confrontation à la mort est une « leçon », elle enseigne ce qu'est la condition humaine. C'est un rude et dur apprentissage, « au fouet » (v. 11).

« Un simple souffle… » (p. 24) : tout ce qui est fragile, léger – le souffle, la voix, les graines – s'efface, disparaît en douceur. Seul l'homme meurt dans la douleur. Pourquoi ?

---

1. *Coin* : petit instrument, en bois ou en métal, utilisé pour fendre des matériaux (une pierre, un billot…).

Une violence insoutenable

Horrible, la mort est laideur et saleté. Elle l'est physiquement et moralement. Réduit à « cela » (p. 22, v. 1), à quelque chose sans nom, le mourant perd toute dignité. Il n'est pas encore mort qu'il n'est déjà plus un être humain. Cette déshumanisation s'effectue en outre dans la pire des souffrances – comme le montre la réitération de l'image du « fer » qui fouaille le corps (p. 23, v. 6 ; p. 24, v. 8).

Un « je » accablé

Devant cette intolérable réalité, « je » se trouve profondément désemparé. C'est le « je » du poète qui a perdu toute illusion sur les pouvoirs consolateurs de la poésie. C'est aussi le « je » humain, simplement humain, qui est, lui, submergé de larmes (p. 23, v. 11). C'est enfin un « je » philosophique qui s'interroge sur la « leçon » ainsi reçue : pourquoi mourir, et mourir dans ces conditions-là (p. 24, v. 8) ?

« ON LE DÉCHIRE... » (p. 25)

« PLUS AUCUN SOUFFLE... » (p. 26)

« DÉJÀ CE N'EST PLUS LUI... » (p. 27)

La mort à l'œuvre

PRÉSENTATION

« On le déchire... » (p. 25) : la mort est une torture. Est-ce le prix à endurer pour accéder à l'éternité ? Le poète ne le croit pas. Chez le mourant, il n'a vu qu'une « flamme » (v.12) qui s'éteignait.

« Plus aucun souffle... » (p. 26) : c'est la fin et le début d'un immense silence.

« Déjà ce n'est plus lui... » (p. 27) : reste un cadavre, mais de qui ? Sans vie, sans « souffle », il n'est plus rien, sans aucune ressemblance avec le vivant de naguère. Il est « pourriture » (v. 9). Il est « cela » : quelque chose à emporter.

L'absence de tout au-delà

Les expressions « voile du Temps », « cage du corps », l'« autre naissance » (p. 25, v. 4 à 6) renvoient à des interprétations religieuses de la mort selon lesquelles celle-ci serait un passage vers l'éternité, vers l'immortalité. Ces expressions, le poète a choisi de les mettre entre guillemets. C'est une façon de dire qu'il ne les fait pas siennes, qu'il ne croit pas en l'existence d'un au-delà.

« On », « cela », « moi »

Ces poèmes comportent tout un jeu sur les pronoms personnels ou démonstratifs. « On » désigne d'abord le bourreau invisible qu'est la mort (p. 25, v. 1), puis par la suite les humains. Le pronom démonstratif « cela » (p. 27, v. 4) s'applique à l'innommable, au « méconnaissable » (p. 27, v. 2) qu'est le cadavre. Quant à « Moi » (p. 25, v. 12), il renvoie à l'expérience sensible du poète.

« J'AI RELEVÉ LES YEUX… » (p. 28)

« L'ENFANT, DANS SES JOUETS… » (p. 29)

« S'IL SE POUVAIT… » (p. 30)

« PLUTÔT, LE CONGÉ DIT… » (p. 31)

« ET MOI MAINTENANT… » (p. 32)

Vers l'apaisement

PRÉSENTATION

« J'ai relevé les yeux… » (p. 28) : concrètement, le poète ne regarde plus le cadavre, il regarde par la fenêtre. Mais ce geste possède aussi une valeur symbolique. On dit qu'on « relève de deuil » quand, après le choc de la disparition, on se remet à vivre.

« L'enfant, dans ses jouets… » (p. 29) : dans la religion égyptienne, les morts allaient vers l'au-delà à bord d'une barque. Bien qu'il ne croie à aucune survie de l'âme, le poète se demande ce qui peut relier les vivants aux morts. Peut-être une offrande en guise de souvenir.

« S'il se pouvait… » (p. 30) : mais ce lien existe-t-il vraiment ? « Comment savoir ? » (v. 9). Un vivant ignore ce qu'est la mort. Face à cet inconnu, le maître et l'élève sont de complets ignorants.

« Plutôt, le congé dit… » (p. 31) : le poète choisit donc de contempler le « jour » (v. 3), c'est-à-dire la vie, même si la mort y est inscrite.

« Et moi maintenant… » (p. 32) : c'est en acceptant cette dure réalité, en ayant pleine conscience de la précarité de l'existence, que peut venir l'apaisement.

REPÈRES POUR LA LECTURE

La « navette », la « barque » et le passage

Étymologiquement, une « navette » (p. 28, v. 5) est une petite barque. Semblable à celle que l'enfant choisit (p. 29, v. 1-2), elle évoque les barques funéraires de l'ancienne Égypte. Le motif de la barque assure l'unité de ces poèmes. Il suggère un passage.

Un savoir impossible

Toutefois, à quelle connaissance ce passage conduit-il ? Sans espérance en un possible au-delà, le poète constate que l'expérience de la mort est indicible et intransmissible. Reste le don que l'on peut faire, comme l'enfant qui donne son jouet ou le poète qui offre ses poèmes.

« TOI CEPENDANT… » (p. 33)

Une stèle[1] poétique

PRÉSENTATION

Bien qu'il ne soit plus rien et qu'il ne reste aucune trace de lui, le mort reste dans le souvenir des vivants, qu'il guide et éclaire. C'est la consolation et l'apaisement.

---

1. *Stèle* : monument (colonne ou pierre plate), commémoratif.

L'effacement et la présence

Le dernier poème de *Leçons* érige le recueil non seulement en tombeau littéraire, mais aussi en urne du souvenir. Le premier « Toi » (v. 1) fait écho à « Et moi » dans le premier vers du poème précédent (p. 32). Une sorte de couple ou de communication s'instaure ainsi, que seul le souvenir permet de réaliser. Le « maître » est dans sa gloire et l'élève a compris la « leçon ». Les morts font partie intégrante de notre vie, de notre vie si fragile.

CHANTS D'EN BAS

Composé en 1973, le recueil a été publié pour la première fois en 1974. Il se divise en deux sections : la première, intitulée « *Parler* », comporte huit poèmes, plus un poème liminaire ; la seconde, intitulée « *Autres chants* », compte six poèmes, plus un poème liminaire.

LE TITRE

« Chants » : le mot a valeur d'un double rappel. D'une part, la poésie, qui joue sur les rythmes et les sonorités, a toujours été un « chant[1] ». D'autre part, le mot renvoie au sens musical des « leçons de ténèbres[2] ». À lui seul, le mot inscrit donc le recueil dans un genre – la poésie – et dans une continuité – celle de *Leçons*.

L'expression « d'en bas », grammaticalement, est volontairement ambivalente : traduit-elle un complément de lieu ou de nom ? Si on l'interprète comme un complément de lieu, elle devient synonyme d'« ici-bas » : ces « chants » sont alors ceux du monde. Si, en revanche, on l'interprète comme un complément de nom, le « bas » désigne la terre, la poussière, l'herbe et ce qu'il y a en dessous : les morts. « En bas s'amasse l'épaisseur des morts anciens », écrivait déjà Jaccottet dans *L'Ignorant*[3]. Qu'il s'agisse de la beauté, mais fragile et douloureuse, du monde ou de la confrontation à la mort, *Chants d'en bas* se présente, lui aussi, comme un « livre de deuil ». Une confidence du poète révélera que le recueil a été écrit à l'époque du décès de sa mère.

---

1. Déjà, dans la mythologie gréco-romaine, Orphée, le fils de la Muse Calliope, passait pour le père de la poésie en raison de ses incantations et de sa lyre à neuf cordes.
2. Voir plus haut, p. 12.
3. Dans « La promenade à la fin de l'été ». Sur *L'Ignorant*, voir plus haut, p. 14.

PRÉSENTATION

C'est le souvenir de la vision d'un être qui n'est jamais nommé. Seuls les pronoms personnels indiquent qu'il s'agit d'une femme, récemment décédée.

REPÈRES POUR LA LECTURE

La mort telle une pétrification

Le mot « pierre » revient quatre fois : trois fois sous forme de comparaison (v. 5, 6 et 11) puis une quatrième fois sous forme de métaphore (v. 13). La gisante[1] se confond en effet avec sa tombe : « Elle est déjà comme sa propre pierre » (v. 11). La mort provoque une métamorphose minérale.

Une blessure affective

Cette « pierre » a été mal aimée (v. 13) : c'est l'aveu d'une souffrance et d'un regret. L'interjection « oh » (v. 13) marque ici, non pas la surprise, mais l'émotion et l'affliction. L'image de la « hache » fendant l'aubier (v. 7, 14) exprime toute la violence de la douleur ressentie. L'aubier désignant la partie tendre et blanchâtre qui se forme chaque année entre l'écorce et le bois dur, le coup ne peut être que profond et terrible.

---

1. La *gisante* est celle qui *gît*, qui est morte. Mais le mot désigne également une statue représentant un mort étendu.

Parler, titre de la première section du recueil, a de quoi surprendre. Il est en effet en contradiction avec celui, général, du recueil : « parler » n'est pas « chanter ». C'est que la mort vient d'étouffer tout chant, de le rendre impossible. Cette première partie sera donc un « discours » sur les rapports, sur la tension entre la parole poétique et la parole prosaïque. Ce sera une méditation sur ce que valent les mots quand on est confronté à la déchirure que provoque la disparition d'un être cher.

1. « PARLER EST FACILE… » (p. 41)

2. « CHACUN A VU UN JOUR… » (p. 43)

3. « PARLER POURTANT… » (p. 45)

4. « Y AURAIT-IL DES CHOSES… » (p. 47)

Le langage en procès

PRÉSENTATION

« Parler est facile… » (p. 41) : « parler » est souvent une imposture. C'est sans grand risque. On peut même écrire sur la douleur en étant très confortablement installé. Mais quand la souffrance vous submerge, « cela » devient un « jeu » dérisoire, mensonger. Puisque les mots ne changent rien, autant se taire.

« Chacun a vu un jour… » (p. 43) : le feu dévore par exemple une page d'écriture. Mais même s'il détruit, il possède une beauté que l'on peut décrire avec des images, des comparaisons et des métaphores. On peut « chanter » la beauté du feu, en faire le sujet d'un poème. La mort, elle, ne possède aucune beauté. Elle est informe, hideuse, elle est impossible à apprivoiser par le langage.

« Parler pourtant… » (p. 45) : force est toutefois de constater que « parler » fait quelquefois remonter des souvenirs heureux. « Jadis », l'évocation de ces instants de bonheur relevait du lyrisme. On appelait cela « chanter ». C'était avant l'expérience personnelle, intime, de la mort. Depuis, « chanter » est devenu pour le poète une mascarade.

« Y aurait-il des choses... » (p. 47) : logiquement, le poète s'interroge donc sur les rapports, simultanés et contradictoires, entre le réel et les mots. Les « choses », tantôt s'accordent volontiers avec eux, tantôt les détruisent. C'est le cas de la mort qui « pourrit » tout, jusqu'aux mots eux-mêmes.

REPÈRES POUR LA LECTURE

La défaite du langage

L'obscénité de la mort annule tout « parler ». Écrits de la « même encre », les mots, quels qu'ils soient, mentent. On a beau les aligner, ils ne modifient jamais le réel. Les images sont tout autant inutiles. La mort appartient à l'ordre de l'indicible. Elle interdit de s'exprimer en une « autre langue » que celle de « bête » (2, p. 44, v. 33). Or, qu'est-ce qu'une telle langue sinon l'abolition du langage ?

Une crise de la vocation poétique

La poésie se réduit dans ces conditions à un « ouvrage de dentellière » (1, p. 41, v. 3), c'est-à-dire à un luxe futile. Dès lors, à quoi bon persévérer ? La logique voudrait que le poète s'enferme dans un silence définitif et désenchanté. L'expérience prouve pourtant qu'il est des paroles si puissantes qu'on imagine « guéer » [= traverser à gué] même la mort (3, p. 46, v. 30). Une contradiction fondamentale apparaît alors : tout se passe « comme si », d'un côté, les mots pouvaient repousser la mort et comme si, d'un autre côté, la mort détruisait, « pourrissait » ces mêmes mots. Est-il possible de dépasser cette contradiction ?

L'adieu au rêve d'absolu

PRÉSENTATION

« Assez ! » (5, p. 48) : s'adressant à soi-même, le poète s'exhorte à quitter le monde de la poésie pour celui de l'action. Puisque aucune parole ne peut relier, raccorder ce que la mort déchire, autant d'abord et seulement la regarder en face.

« J'aurais voulu » (6, p. 49) : le conditionnel passé exprime les regrets et les renoncements du poète. Il lui faut se résigner à ne plus se mouvoir dans le « ciel » des belles idées, à se croire investi, comme les poètes des siècles passés, d'une mission spirituelle.

« Parler donc… » (7, p. 50) : si dans ces conditions « parler » reste « difficile », est-ce pour autant à jamais impossible ? Une parole modeste, humble, peut encore recueillir le souvenir des morts. C'est là un espoir fragile, mais tout de même un espoir.

« Déchire ces ombres » (8, p. 51) : dans une nouvelle et ultime exhortation à soi-même, le poète s'encourage à abandonner tous rêves d'antan pour faire corps avec la vie.

REPÈRES POUR LA LECTURE

Deux poèmes d'exhortation

Dans les poèmes 5 et 8, le poète se parle à lui-même, comme l'indique la présence des impératifs. C'est pour exprimer avec force son dégoût du jeu poétique, pour s'encourager à ne plus le pratiquer. Métaphore de la mère, la « barque d'os » (5, p. 48, v. 5) qui s'éloigne dans l'inconnu et l'innommable de la mort détruit définitivement toute illusion sur les pouvoirs supposés de la poésie. Aussi le poète se moque-t-il de ses anciennes prétentions à tenter de percer les mystères.

Deux poèmes de réflexion

Ces deux poèmes d'exhortation encadrent deux poèmes de réflexion (6 et 7). Jaccottet y précise d'abord sa position par rapport aux images (comparaisons et métaphores), que tout langage poétique se doit en principe de privilégier. Lui regrette pourtant d'y recourir, tant le hante le souci d'écrire « simplement » (6, p. 49, v. 1). Mais force lui est d'admettre que se passer d'images est impossible : même les « oiseaux » en sont porteurs, dans la mesure où ils incarnent un rêve de liberté (v. 8-9).

Prenant ensuite acte des limites du langage, Jaccottet tente de définir et de promouvoir un nouvel usage de la parole. Ne pouvant plus s'élever jusqu'aux dieux, la parole doit dire ce qu'il y a de plus profond en soi. Elle doit descendre « assez bas » (7, p. 50, v. 3) pour capter ce qu'il y a de plus essentiel : le souvenir des morts. La parole n'a plus pour fonction de protéger de la mort mais d'abriter nos morts « lointains ou endormis ». C'est à cette condition et seulement à cette condition que pourra renaître un « chant », un « chant d'en bas ».

UNE PARENTHÈSE AGRESSIVE :
« JE T'ARRACHERAIS BIEN LA LANGUE… » (p. 53)

Poursuivant son dialogue avec lui-même, le poète, comme désespéré par la défaite du langage, devient presque son propre bourreau. C'est la conséquence logique de ses désillusions. Lui qui se rêvait en une « bouche d'or » (v. 3-4), fière de ses certitudes, n'est plus qu'un « égout baveux » (v. 5).

L'adjectif indéfini « autres » pose question. En quoi, en effet, les « chants » de cette seconde section sont-ils « autres » ? La mort et le deuil y étant fortement présents, il ne peut s'agir de « chants » différents de ceux « d'en bas ». Faut-il alors comprendre qu'en dépit des apparences « parler » était déjà un « chant » ? Que le poète se corrigerait lui-même ? On bien s'agit-il de « chants d'en bas » d'une nature particulière ? Leur statut demeure ambigu.

« OH MES AMIS D'UN TEMPS… » (p. 57-59)

Vers un nouvel art poétique

PRÉSENTATION

Sous l'urgence de l'approche de la mort consécutive au temps qui passe, le poète s'interroge sur le « chemin » à prendre. Si une « autre » poésie est possible, quelle est-elle ? Deux tournures interro-négatives (« N'y a-t-il … aucun », « N'y a-t-il pas », v. 7 et 13) excluent tout retour à la poésie lyrique traditionnelle. Deux tournures hypothétiques, elles aussi négatives (« Si … n'est plus », v. 21 ; « S'il y a … ne … pas », v. 28), écartent toute certitude, religieuse ou philosophique. La voie à suivre ne peut donc qu'être étroite.

REPÈRES POUR LA LECTURE

Un bilan négatif

Le poète tire les conséquences de ses réflexions exposées dans *Parler*. Il y constatait la défaite du langage : désormais, quelle poésie concevoir, pratiquer ? Ni « chanter » la fuite du temps (strophe 2), ni se rêver en un nouvel Orphée[1] (strophe 3), ni célébrer la beauté du monde (strophe 5), ni évoquer des souvenirs d'enfance (strophe 8). Trop d'ombre – image de la mort et des morts – l'interdit.

---

1. Sur Orphée, voir plus haut p. 14.

La quête d'un passage

Ce bilan négatif n'est dressé que pour mieux cerner ce qui reste envisageable. Après tant d'impossibilités, quelle possibilité ? L'anaphore « cherchons » (v. 24, 25, 35) souligne la volonté du poète de trouver une issue à la crise poétique qu'il traverse. C'est une quête délicate. Le poète veut explorer un « passage », « là où les mots se dérobent » (v. 25), qui ne soit pas « visible » (v. 28), qui soit entre « chercher » et « trouver » (v. 37). Ce « passage », c'est ce qui laisse entrevoir autre chose que la mort, qui permet même de l'oublier fugacement ou d'en franchir le mur sans terreur.

« ON AURA VU AUSSI CES FEMMES… » (p. 60)

« SI JE ME COUCHE CONTRE LA TERRE… » (p. 61-62)

« ARRÊTE-TOI, ENFANT… » (p. 63)

L'amour et la mort

PRÉSENTATION

« On aura vu aussi ces femmes… » (p. 60) : le poème est une longue rêverie érotique sur les femmes. Métaphores animales puis végétales les caractérisent. Ces images évoquent la scène primitive du désir : l'homme est un « chasseur » (v. 11) à la poursuite de sa proie. Progressivement les rôles s'inversent. Le chasseur devient la proie de la séduction féminine ; et la femme, même possédée, se dérobe, car elle est un « seuil » infranchissable. C'est l'« animale sœur » (v. 7). L'expression désigne à la fois la proie convoitée et l'interdit de la convoitise (l'inceste entourant le mot « sœur »). La femme reste désirée et inaccessible.

« Si je me couche contre la terre… » (p. 61-62) : les visions érotiques se poursuivent. Toutefois, elles sont encadrées par deux références à l'« en bas ». Couché « contre la terre » (v. 1), l'« oreille collée à l'herbe » (v. 18), le poète entend pleurer celle qui est « dessous ». Qui est-elle ? Peu importe. Figure maternelle et figures féminines se superposent. La morte est toutes les femmes : la mère, la sœur, les amies, toutes les autres.

« Arrête-toi, enfant… » (p. 63) : comme l'indique l'adjectif qualificatif « pareille » (v. 7), l'enfant auquel s'adresse le poète est sa fille. Les visions érotiques, leurs pulsions de vie et de mort ne sont pas encore de son âge. Qu'elle conserve donc son innocence avant que le temps ne la rattrape elle aussi et qu'elle en sente le « harpon » (v. 9).

REPÈRES POUR LA LECTURE

Éros et Thanatos

Éros est le dieu grec du désir sexuel ; Thanatos, celui de la mort. Le poème remonte aux origines du monde et de l'être. « On aura vu » (p. 60, v. 1) : le futur antérieur de l'indicatif relie le passé, le présent (de l'écriture) et le futur. Le temps se tisse en un fil ininterrompu. Éros l'emporte au moins un instant contre Thanatos, puisque la morte finit par pleurer. Mais cette victoire même est amère. La femme laisse couler ses « larmes » (p. 60, v. 19) et l'enterrée « gémit » encore de peur (p. 62, v. 19-20). Vie et mort sont indissociablement liées.

Deux registres érotiques

L'évocation de l'érotisme s'effectue de deux façons contradictoires. L'une est crue, violente, vulgaire : « viande offerte » (p. 60, v. 5), « bon marché », « à bâfrer » (v. 6). Ces mots appartiennent au registre de la trivialité. Ils expriment la sauvagerie du désir, mais celle-ci est finalement rejetée (« non pas », v. 5).

L'autre évocation de l'érotisme se fait à travers un réseau de métaphores, de « visions » (p. 61, v. 5) et de fantasmes (« J'ai plein la tête… », p. 61, v. 14) qui relève d'une écriture très élaborée et fait se confondre rêve et poésie.

Vers la lumière

PRÉSENTATION

« Écris vite ce livre » (p. 64) : le poème se place sous le signe de l'urgence absolue. Peu importe de savoir à qui il s'adresse. Il faut aller au bout de la ligne, de la page, du recueil avant que la mort n'arrive. Déjà le poète sent dans le « beffroi d'os » (v. 10) de son corps craquements et dérèglements. L'important est donc de s'accorder au monde, à la lumière, au « beau mur bleu » (v. 9) du ciel, au « dernier pan doré du jour » (v. 18). C'est le seul chemin possible pour établir une certaine communauté entre les hommes – communauté suggérée par le pronom personnel « nous » (v. 17-19).

« Je me redresse… » (p. 65) : le recueil se clôt sur l'image des « trois lumières » (v. 2) que sont le soleil, la vie, la poésie. L'« encre » dont se sert le poète est celle de l'« ombre » (v. 6) – du souvenir des morts, de l'« en bas ». La poésie devient ainsi accueil. Elle se fait réconciliation du ciel et de la terre, de l'ombre et de la lumière, des vivants et des morts.

REPÈRES POUR LA LECTURE

L'expression de l'urgence

Adverbes et notations temporelles (p. 64) traduisent l'urgence d'écrire : « vite », « vite aujourd'hui » (v. 1) ; « avant que » (v. 2, 6, 8) ; « en hâte » (v. 16). La profusion des impératifs (« écris », v. 1 ; « cours », v. 5 ; « franchis », v. 15…) rend sensible l'immédiateté de l'injonction.

Une référence à l'Apocalypse[1]

Cette urgence est telle que si le poète écrit « sans savoir à qui »
(p. 64, v. 13), il sait du moins qu'il n'écrit pas à « l'ange de l'Église
de Laodicée » (v. 14). C'est une allusion à la septième lettre que,
dans l'Apocalypse, l'apôtre Jean adresse aux chrétiens de la ville
de Laodicée (en Asie Mineure, aujourd'hui en Turquie). Cette lettre,
censée avoir été écrite sous la dictée de Jésus-Christ, commence
par ces mots : « Écris à l'Église de Laodicée » (Apocalypse, 3,
14). Elle appelle les chrétiens à rester fermes dans leur foi. Mais
Jaccottet ne fait cette référence que pour mieux la rejeter : « Écris,
non pas… » (v. 11), précise-t-il. Toute idée d'éternité, de résurrection
ou de vie dans un au-delà se trouve du même coup récusée. Le
seul lien entre l'Apocalypse et le poème de Jaccottet réside dans
la notion d'urgence. L'Apocalypse annonce la fin prochaine des
temps et, en conséquence, la nécessité de se convertir avant qu'il
ne soit trop tard. De même, le poète se hâte d'écrire avant que la
mort ne le rattrape.

---

1. L'Apocalypse forme, dans la Bible, le dernier livre du Nouveau Testament. La tradition
l'attribue à l'apôtre Jean qui y livre ses visions et prophéties sur la fin du monde et le
retour du Christ sur terre.

À LA LUMIÈRE D'HIVER

Composé entre 1974 et 1976, le recueil a été publié en 1977. Précédé d'un poème liminaire, il comporte, comme *Chants d'en bas,* deux sections : la première compte quatre poèmes et la seconde dix.

LE TITRE

Il suggère tout à la fois le dépouillement de la nature en hiver et la luminosité d'un ciel froid ou de la neige[1]. Cette association des contraires annonce également une forme d'écriture, elle aussi dépouillée et cristalline. L'« hiver » peut enfin traduire moins l'entrée dans la vieillesse (Jaccottet n'a alors que 52 ans) que l'obsession du vieillissement. Ce titre résume ainsi l'esthétique du recueil.

L'EXERGUE : « *DIS ENCORE CELA…* » (p. 69)

La phrase en italique, placée en ouverture du recueil, fonctionne comme un exergue[2]. Elle assure la transition et la continuité avec *Chants d'en bas.* Comme il fallait écrire « vite », il faut « dire » non pas tout, mais le plus possible.

---

1. Dans *Paysages avec figures absentes* (1970-1976), Jaccottet reconnaît éprouver une certaine prédilection pour la saison hivernale, toute d'immobilité, de silence et de pureté.
2. *Exergue* : toute phrase placée en tête d'un texte pour en éclairer le sens.

Une frêle espérance

PRÉSENTATION

Sous la menace de la mort, la parole poétique (« Dis ») se fixe pour mission de saisir le « dernier cri du fuyard » (v. 56), mais un cri si faible, si bref qu'il est à peine perceptible. Recueillir cette ultime vibration sonore entre la vie qui déjà s'éteint et la mort qui déjà l'emporte, voilà l'exigence et la nécessité. Saisir la fragilité, l'inexprimable de cet entre-deux justifie la poésie et devient la condition même d'une renaissance poétique.

REPÈRES POUR LA LECTURE

Une patience démentie

L'adverbe « patiemment » et sa reprise sous la forme d'un comparatif (« plus patiemment », v. 1) entrent en contradiction avec le sentiment d'urgence sur lequel s'achevait *Chants d'en bas*. La contradiction n'est en réalité qu'une apparence. Cette patience relève en effet d'un effort vite balayé. Le complément de manière « avec fureur » (v. 2), la répétition par trois fois de l'impératif « dis » (v. 1-3) démentent tout calme, tout apaisement.

L'identité du « fuyard »

La deuxième strophe assimile ce « fuyard » à un homme voulant échapper à son exécution, à une balle dans la « nuque » (v. 8). Est-ce un souvenir de *Requiem*[1] ? Toujours est-il que la troisième strophe effectue une généralisation : le « fuyard » est « toute victime sans nom » (v. 17). À la limite, même quand ils ont un nom, tous les hommes sont des fuyards devant la mort.

---

1. Sur l'origine de ce recueil, voir plus haut, p. 8.

Une poétique de l'insaisissable et de l'indicible

Le « cri » que le poète se propose de saisir est si particulier qu'il est défini par une longue série de négations. Il n'est entendu de personne, ni des dieux ni d'une femme. Inaudible, il n'est pas davantage compréhensible. C'est un « cela » (v. 23) partout disséminé, comme une dernière et fragile onde vitale. Le rôle de la poésie est d'en saisir la propagation. À ce prix et à cette condition, il restera possible d'aimer encore « la lumière ». Encore cet espoir est-il frêle. En effet deux correctifs l'amenuisent progressivement : « ou seulement » (v. 26) comprendre la lumière à défaut de l'aimer ; « ou simplement » (v. 27) la voir, à défaut de l'aimer et de la comprendre. Cette « lumière d'hiver » s'annonce mince, fragile, mais si la poésie parvient à la saisir, elle sera suffisante.

SECTION I : « FLEURS, OISEAUX, FRUITS… » (p. 77)

« OUI, OUI, C'EST VRAI… » (p. 79)

La dépossession et la quête

PRÉSENTATION

« Fleurs, oiseaux, fruits… » (p. 77) : le poème reprend les thèmes, développés dans *Chants d'en bas*[1], sur les limites de la parole. Devant les « portes qui se ferment » (v. 11) – image de la mort –, il est « trop facile de jongler » (v. 4) avec les mots. Conscient de ses limites, le poète persévère dans son désir de tracer son chemin.

« Oui, oui, c'est vrai… » (p. 79) : encadrant le sizain, les guillemets suggèrent que le poète délègue la parole à un « je » anonyme. Celui-ci est-il un double du poète ? Toujours est-il qu'il partage avec ce dernier la même expérience de la mort « au travail » (v. 1). La fuite du temps, précise-t-il, en constitue les prémices. « Quelque chose » (v. 5) n'en résiste pas moins et il convient de le saisir.

---

1. Voir plus haut, p. 24-25.

La confirmation d'une conviction

Jaccottet revient sur l'imposture et les facilités du langage. La mort dépossède en effet à jamais le poète de tout pouvoir magique. Abandonné des dieux, il ne saurait plus prétendre explorer l'inconnu ou élucider des mystères. Ce temps est révolu. Le poète ne peut pas plus être Orphée[1] que le prophète biblique Élie[2]. C'est l'adieu, renouvelé, à toute une tradition poétique.

La confirmation d'une intuition

Jaccottet ne se résigne pas pour autant au silence. Au contraire, il veut « [dire] encore » (p. 77, v. 13), se forcer à parler (p. 78, v. 20), il veut insister (v. 23). Si les vieux chemins solennels de la poésie lui sont fermés, il lui reste à saisir ce qu'il pressentait dès la fin de *Chants d'en bas* : l'existence d'un « quelque chose », d'une trace, d'une « dernière herbe » (p. 78, v. 29), de ce qui n'est pas « entamé » par la souffrance.

« LAPIDEZ-MOI ENCORE... » (p. 80)

« UN HOMME QUI VIEILLIT... » (p. 81-82)

Vers une autre poésie

PRÉSENTATION

« Lapidez-moi encore... » (p. 80) : ce « quelque chose » guetté par le poète commence à se préciser. Ce n'est pas une chose particulière ou mystérieuse. C'est ce qu'il y a « entre les choses » (v. 4), ce qui est invisible, mais sensible comme « l'air froid » (v. 6). Non pas la vie et la mort ni la vie ou la mort, mais l'« entre » la vie et la mort. La quête est donc nécessairement subtile, fragile, éphémère.

---

1. Sur Orphée, voir plus haut p. 14.
2. Le prophète Élie annonçait des temps nouveaux et meilleurs coïncidant avec le retour du Christ sur terre. Selon la Bible, il s'éleva au ciel sur un char de feu, d'où l'allusion de Jaccottet à son char aux vers 6 et 7.

« Un homme qui vieillit... » (p. 81-82) : le poème est un commentaire du précédent. « Autrefois » (v. 4), avant la confrontation à la mort, tout était possible ; « maintenant » (v. 5), presque plus rien ne l'est. La parole est impuissante à exprimer l'insaisissable. Les mots « font écran » (v. 24) entre ceux qui les utilisent et les choses qu'ils désignent. L'inconnu est donc ailleurs.

REPÈRES POUR LA LECTURE

Une poésie de l'intervalle et des interstices

Les mots clés de l'art poétique qu'expose Jaccottet avec beaucoup d'hésitation sont la préposition « entre » et le verbe « franchir » (p. 80, v. 7). C'est par eux que peut s'effectuer le passage de l'ombre à la lumière, que les vivants peuvent renouer un lien avec les morts, que peut s'effectuer la réconciliation de l'homme et du monde. Jaccottet ne se dissimule pas les difficultés de l'entreprise. Il s'exprime sur le mode hypothétique : « Si c'était... » (p. 80, v. 4 et 8). Sur le mode interrogatif (p. 80, v. 11), il s'adresse des objections. Cette poésie de l'intervalle n'est possible que tant que la mort n'a pas définitivement fermé tout passage.

L'échec de la rationalité

Le dernier poème de la section I possède une forte charpente logique. Un premier constat est établi : désormais, on « raisonne et se contraint » (p. 81, v. 5). Vient ensuite un ajout, annoncé par la conjonction de coordination « or » (v. 6), qui précise que l'on peut raisonner sur tout. Une concession surgit aussitôt après, amorcée par « toutefois » (v. 13), qui contredit le constat initialement posé. « Donc » (v. 20) tire une conclusion, prudente, sur le mode interrogatif. Le paradoxe est que cette forte armature logique du discours a pour but d'établir l'échec de la rationalité. Celle-ci tourne à vide, parce qu'elle laisse échapper l'essentiel, que Jaccottet appelle la « clef dorée » (v. 27) et qui ouvre le passage recherché, celui qui permet la réconciliation.

Retour à la vie et à l'écriture

PRÉSENTATION

« Aide-moi maintenant... » (p. 85-87) : cette réconciliation avec le monde extérieur et avec lui-même, le poète l'éprouve lors d'une promenade nocturne dans son jardin. Soudain le temps n'est plus son ennemi. Jusqu'alors associé au deuil et à la mort, le noir devient une figure de la vie. En effet, la nuit se féminise et se transforme en fantasme érotique. Elle prend la forme d'une « femme d'ébène et de cristal » (v. 16-17). Vécue « le temps de quelques pas dehors » (v. 46), cette expérience s'apparente à une renaissance. Vivre et écrire redeviennent possibles.

« Une étrangère s'est glissée... » (p. 88-89) : variation du rêve précédent, le poème est tout entier construit autour de l'image d'une « étrangère » (v. 1), d'une passante, incarnation même de la beauté. Muse, elle inspire le poème dans le même temps que le poème l'accueille. Aussi cette passante est-elle la source et la forme du poème. Le poète s'en trouve encouragé à écrire avec « des mots plus pauvres » mais « plus justes » (v. 24).

REPÈRES POUR LA LECTURE

Les expressions du temps

Tantôt le temps est personnifié : il « marche » (p. 85, v. 5-6), il « conduit » le poète (v. 22). Tantôt il se confond avec le poète : quand celui-ci marche dans le jardin, c'est le temps lui-même qui marche (v. 22). Tantôt, par le biais d'une métaphore, il se change en objet, en « aiguille » (v. 42).

Alors que le premier poème insistait sur la durée (par l'expression « à mesure que », p. 86, v. 21), le second privilégie la brièveté, la fugacité avec des verbes comme « s'est glissée » (p. 88, v. 1), « la laisser apparaître » (v. 12-13), « la laisser passer » (p. 89, v. 20).

L'éclat du noir

D'un poème à l'autre, sous différentes occurrences, le noir domine. La nuit est omniprésente. Ici, c'est « la grande femme de soie noire » (p. 88, v. 6) ; là, « cette soie noire » dont le poète ne sait s'il s'agit de sa « peau » ou de sa « chevelure » (v. 6). Mais, toujours, ce noir est associé à la brillance et à la transparence. C'est un « cristal noir » (p. 85, v. 1-2), les regards de la femme « brillent » (v. 18) et l'« étrangère » porte « plusieurs perles, larmes ou regards » (p. 88, v. 3). Sous la « lumière d'hiver » le noir devient promesse de vie, de bonheur et d'écriture.

« NUAGES DE NOVEMBRE… » (p. 90)

« … ET LE CIEL… » (p. 91)

« TOUT CELA QUI ME REVIENT… » (p. 92)

« L'HIVER, LE SOIR… » (p. 94)

L'union des contraires

PRÉSENTATION

« Nuages de novembre… » (p. 90) : fort de son expérience nocturne, le poète découvre la complémentarité des contraires. Si la terre est « tombe » (v. 5), elle est aussi « berceau des herbes » (v. 6). Vie et mort sont liées. L'« eau invisible » (v. 12) des rêves, régénère la parole poétique. Elle permet de « laper », de boire « cette lumière qui ne s'éteint pas la nuit » (v. 17).

« … Et le ciel… » (p. 91) : cette découverte n'en demeure pas moins fragile et peut-être même hypothétique. Le sizain est en effet une longue phrase interrogative incluant une conditionnalité. Même si le ciel était « clément », le laboureur verrait-il autre chose que l'herbe ?

« Tout cela qui me revient… » (p. 92) : le doute s'empare dès lors du poète. L'invisible réalité dont il a l'intuition n'est-elle qu'un rêve ? Ou bien est-elle à l'intérieur même de ce rêve le « reflet » d'autre chose (v. 3) qu'il convient de préserver ? Malgré la vieillesse qui approche, malgré la mort partout à l'œuvre, le poète veut en garder la pensée. Même s'il ne sait pas trop bien ce que c'est que cette eau « que l'on ne boira jamais » (v. 8).

« L'hiver, le soir… » (p. 94) : bien qu'il s'achève par une longue phrase interrogative (v. 8-10), le poème laisse percer l'espoir d'une lumière transfiguratrice. Celle-ci nous laverait enfin de la « poussière » (v. 9) des « chants d'en bas ».

REPÈRES POUR LA LECTURE

Au cœur de l'ombre, la lumière

Variante de la nuit, l'ombre demeure présente, comme le suggèrent l'expression « nuages de novembre » (p. 90, v. 1), l'adjectif « sombres » (v. 1) ou le complément de temps « au couchant » (v. 15). Mais une lumière la traverse en permanence. Ce n'est plus, comme dans les précédents poèmes, le noir qui brille, c'est désormais une lueur qui brille dans le noir. Peu importe qu'il s'agisse des « derniers reflets du feu » (p. 94, v. 5), de la neige ou de la lune, la nuit n'est plus désespérément obscure. Le poète poursuit sa réconciliation avec le monde : « écoute mieux » (p. 90, v. 9).

Vivre malgré la mort, vivre en étant d'autant plus présent au monde que la mort s'insère dans la vie, tel est l'espoir, redevenu possible. Même si l'approche de la vieillesse rend cet espoir fragile (p. 92, v. 11-15).

L'eau purificatrice

Le thème de l'eau est étroitement associé à celui de l'ombre. Il remplit plusieurs fonctions. Cette eau, « invisible » (p. 90, v. 12), est d'abord celle des rêves auxquels elle donne forme. Des bêtes, également « invisibles » (v. 13), viennent la boire. Elle devient ensuite matière et création poétiques par l'entremise d'une métaphore : dans l'expression « laper cette lumière » (v. 17), le verbe transforme la lumière en eau lumineuse. Elle est enfin une eau purificatrice par l'allusion à la « libation[1] » répandue sur le sol (p. 92, v. 5).

---

1. Dans l'Antiquité, la libation consistait à répandre un liquide (vin, lait ou huile) au pied d'un autel en offrande à un dieu.

L'eau lave ainsi le monde des angoisses et de l'impureté de la mort. L'image réapparaît, sous forme négative cette fois, dans la phrase : « L'eau qu'on ne boira jamais… » (p. 92, v. 8). Le poète affirme toutefois en conserver la nostalgie et la pensée (v. 10). L'eau recrée l'unité, fût-elle passagère et toujours menacée, du monde et de l'être.

« ÉCOUTE, VOIS… » (p. 95)

« SUR TOUT CELA… » (p. 96)

Résurrection et souvenir

PRÉSENTATION

« Écoute, vois… » (p. 95) : cette unité retrouvée connaît sa consécration dans une référence à Lazare (v. 3). Dans le Nouveau Testament[1], Lazare est ressuscité par le Christ. Il est ainsi le premier homme à avoir traversé la « nuit », à avoir éprouvé ce qu'est réellement la mort. Le poème laisse donc croire en une possible résurrection. Mais, sous la plume de Jaccottet, celle-ci n'a rien de religieux ni de surnaturel. En demeurant « blessé » (v. 4), Lazare conserve les traces de ses souffrances et de ses peurs.

« Sur tout cela… » (p. 96) : le poète formule le souhait que la neige, symbole de blancheur et de pureté, recouvre désormais les « choses » (v. 3). Elle deviendrait ainsi une sorte de linceul protecteur aussi bien des morts que du souvenir.

« Fidèles yeux… » (p. 97) : ce dernier poème scelle définitivement la réconciliation du poète et des siens disparus (v. 1-2). Entre eux et lui, l'espace cesse d'être infranchissable. Comparé à un « éventail » (v. 3) réduit à son « manche d'os » (v. 4), celui-ci dessinerait, si on l'ouvrait, un demi-cercle, comme une voûte céleste dont les yeux des morts seraient les astres.

---

1. Évangile selon saint Jean, 11, 43-44.

La rencontre de deux mouvements

Ces deux poèmes sont construits sur un double mouvement : du bas vers le haut, et du haut vers le bas. Dans le premier, « quelque chose » monte en effet de la terre (p. 95, v. 1 et 2), alors que quelque chose d'autre semble « descendre » de « plus loin que le ciel » (v. 7). De la même façon, dans le second poème (p. 96), la neige descend (v. 2). Ses « cristaux » effectuent une lente descente (v. 13), pendant qu'« au-delà » court le soleil (v. 7-8).

Le point de rencontre de ces mouvements ascendant et descendant est plus énigmatique. Que représentent les pluriels, nombreux mais imprécis : « d'autres vols », «ne courent-ils pas », « les uns vers les autres » (p. 95, v. 8-10) ? S'agit-il d'oiseaux, des morts, de « nous » (v. 6) ou de la conscience du poète ? Toujours est-il qu'entre le haut et le bas des liens se tissent, des rencontres se produisent. Ils forment une réalité difficile à apercevoir parce que « le manteau rêche de la nuit » (v. 16) la recouvre, mais qu'il appartient à la poésie de faire deviner. C'est du moins la mission que s'assigne le poète : « Dis que cela peut être vu » (p. 95, v. 14).

Une explosion d'images et de couleurs

Plus que d'autres, ces deux poèmes accordent une place prépondérante aux sens, notamment à la vue et à l'ouïe : « Écoute, vois » (p. 95, v. 1), « tout se tait » (v. 5), « cela peut être vu » (v. 14), « à voix basse » (p. 96, v. 4). Ces notation sensorielles sont à l'origine d'une multiplicité d'images : « comme une lumière », « comme un Lazare » (p. 95, v. 3), « à la manière des rencontres d'amour » (v. 11-12), « comme la bougie derrière son écran jauni » (p. 96, v. 10). Les « vols » (p. 95, v. 8) et « battements d'ailes » (v. 4), sans qu'il soit précisé qu'il s'agisse d'oiseaux, revêtent une valeur métaphorique. Ils sont l'image de la légèreté et de l'innocence retrouvées. Preuve en est la dominante blanche qui imprègne et réunit les deux poèmes.

Une neige bienfaisante

Au « manteau » de la nuit (p. 95, v. 16) succède celui de la neige (p. 96). Chez Jaccottet, la neige est un motif récurrent et positif. Sa blancheur est pureté. Sa chute est personnifiée, « elle qui parle toujours à voix basse » (v. 4). Elle protège « le sommeil des graines » (v. 5) et favorise ainsi la future renaissance de la nature. Elle possède enfin des vertus apaisantes. Comme elle protège les graines, elle favorise le souvenir des morts : « Alors je me ressouviendrais de ce visage » (v. 11). Pour la première fois depuis *Leçons*, le poète envisage de proférer une parole de célébration : « j'oserais louer » (v. 17), dit-il. La neige est un baume consolateur.

« FIDÈLES YEUX… » (p. 97)

PRÉSENTATION

Ce dernier poème scelle définitivement la réconciliation du poète et des siens disparus (v. 1-2). Entre eux et lui, l'espace cesse d'être infranchissable. Comparé à un « éventail » (v. 3) réduit à son « manche d'os » (v. 4), celui-ci dessinerait, si on l'ouvrait, un demi-cercle semblable à une voûte céleste dont les astres seraient les yeux des morts.

REPÈRES POUR LA LECTURE

L'image de l'éventail

Selon le dictionnaire, l'éventail est un objet portatif que l'on agite d'un mouvement de va-et-vient pour produire de la fraîcheur. On peut y voir ici une métaphore du livre. Car l'éventail se déplie et se replie comme on ouvre et ferme un livre. Ses plis sont les pages. Avec son « manche d'os », il fait également songer à un être humain dont le corps se dessèche, dont la vie se réduit et se replie progressivement.

La mort apaisée

Le poète envisage ainsi sa mort prochaine. Alors que la disparition de son beau-père dans *Leçons*[1] puis de sa mère dans *Chants d'en bas*[2] suscitait chez lui horreur, souffrance et incompréhension, la sienne ne le préoccupe pas outre mesure. Elle sera le passage du visible à l'invisible, une entrée dans l'inconnu, qui ne sera ni déchirure ni rupture. Il demeurera visible aux « yeux » qui sauront voir au-delà des apparences.

Le recueil se clôt sur le mot « astres », comme sur une ultime lumière. La « leçon » apprise au « fouet » (*Leçons*, p. 23, v. 11) a été retenue, assimilée, dépassée. Tout ne disparaît pas avec la mort, si brutale et horrible soit-elle. Il reste possible d'entendre les « chants d'en bas ». C'est la « leçon » de « la lumière d'hiver ».

---

1. Voir plus haut p. 12.
2. Voir plus haut p. 22-23.

DEUXIÈME PARTIE

Problématiques essentielles

1 | *Leçons* : structure du recueil

Selon l'expression même de Philippe Jaccottet (p. 99), *Leçons* est un « livre de deuil ». Le recueil évoque en effet la mort d'un « Il » jamais nommé. Une confidence du poète et quelques indices épars dans les poèmes permettent cependant de l'identifier : il s'agit de Louis Haesler, le beau-père du poète. Après une double ouverture, le recueil suit chronologiquement les étapes de l'agonie, que clôt un double épilogue. Cette organisation linéaire se complique toutefois de tout un jeu d'échos et de miroirs.

UNE DOUBLE OUVERTURE

L'ouverture du recueil comprend les deux premiers poèmes (p. 9 et 11).

Un quatrain en forme d'exergue

Dans son sens le plus courant, l'exergue est une phrase ou une citation placée en tête d'un ouvrage pour le présenter et en éclairer le sens général. Le quatrain imprimé en italique en occupe la place et en remplit la fonction. Ouvrant le recueil, il présente « Il ». S'il ne révèle pas son nom, il en esquisse le portrait moral, tout de « droiture » (v. 3).

La présentation du locuteur (« Moi »)

Après la présentation de « Il » vient celle du locuteur. « Moi » ne décline pas davantage son identité, mais il précise son métier (« poète », p. 11, v. 5). Revenu de toute illusion sur les pouvoirs supposés de la poésie, « Moi » affirme qu'il réapprend à écrire.

LES ÉTAPES DE L'AGONIE

Elles sont au nombre de cinq.

▌L'alitement

Le mal, jamais diagnostiqué, contraint l'« aîné » (p. 12, v. 6) à se coucher. Il ne se relèvera plus. « Je » reste près de lui (p. 14). La progression de la maladie est si foudroyante que l'issue ne peut qu'être fatale (p. 15). « Il » en a une ultime et dernière conscience (p. 16).

▌Le glissement dans la mort

Entre le mourant et les vivants (« nous ») qui le veillent, toute communication se révèle désormais impossible (p. 18). Un quintil (strophe de cinq vers), présenté entre parenthèses, s'adresse violemment aux « laborieux cerveaux » (p. 18, v. 1) qui se prétendraient capables de mesurer l'« espace infranchissable » (v. 5) qui sépare un mourant des vivants. Tout langage est inutile (p. 19). « Je » en est réduit à imaginer le monologue de peur et de détresse que pourrait prononcer l'agonisant (p. 20).

▌La souffrance de l'entourage

Ceux qui le veillent sont bouleversés (p. 21) d'assister de si près au « travail » de la mort. C'est horrible à voir (p. 22) et c'est une « leçon » tragique et incompréhensible (p. 23). Pourquoi faut-il mourir dans de telles conditions (p. 24) ?

▌La mort

Le « passage » s'effectue dans un râle douloureux (p. 25). C'est désormais fini (p. 26). Il n'y a plus qu'un cadavre « méconnaissable » (p. 27, v. 2). Non pas que la douleur l'ait défiguré, mais parce qu'il ne conserve rien, ni « souffle » ni qualités du vivant de naguère.

▌L'inhumation

Le regard du poète s'élève vers le ciel (p. 28) et n'y décèle aucun au-delà religieux et consolateur (p. 29). Se peut-il tout de même qu'il y ait « en bas », « près de la pierre » (p. 30, v. 7), quelque façon de maintenir un contact ? Le « congé dit » (l'adieu, p. 31, v. 1), le poète songe qu'il va lui falloir réapprendre à vivre.

UN DOUBLE ÉPILOGUE

Il s'agit des deux derniers poèmes.

▌Le lent apaisement du locuteur (p. 32)

En contemplant l'eau, l'air, les oiseaux, la nature, le poète renoue progressivement avec la vie. Il a retenu la « leçon ». La mort est au cœur du monde et de la vie. On ne peut aimer la vie sans savoir et toujours se souvenir que la mort y est logée.

▌Une stèle commémorative (p. 33)

Le dernier poème est une stèle élevée à la mémoire du mort. Dans le souvenir qu'il laisse, il devient un « modèle de patience et de sourire » (v. 8), un « soleil » (v. 9) qui éclairera les vivants.

UN JEU D'ÉCHOS, DE MIROIRS ET D'ANNONCES

Cette progression linéaire du recueil se double de motifs qui s'entrelacent. Aux échos se superposent des jeux de miroirs et des phénomènes d'annonce.

▌Des jeux d'échos

Dans le deuxième poème du recueil (p. 11), le groupe adjectival « moi l'effrayé » (v. 2) est une allusion à *L'Effraie,* publié par Jaccottet en 1954, et l'adjectif verbal « ignorant » une allusion à *L'Ignorant,* recueil de poèmes composés entre 1952 et 1956.

Cette double référence inscrit *Leçons*, non dans la continuité de la production antérieure du poète, mais en rupture radicale avec celle-ci. Entre « autrefois » (v. 1) et « à présent » (v. 8) vient de se glisser la confrontation à la mort. Et cette confrontation donne à *Leçons* une couleur nouvelle.

Des jeux de miroirs

Le recueil offre en outre plusieurs effets de symétrie :
– le dernier poème (p. 33) évoque la figure de « Il » sur laquelle s'ouvrait le recueil (p. 9) ;
– l'avant-dernier poème (« Et moi... », p. 32) évoque, lui, la figure du locuteur que dessinait déjà le deuxième poème du recueil (p. 11) ;
– au monologue que le poète adresse aux « laborieux cerveaux » (p. 18) correspond le monologue fictif qu'il prête au mourant (p. 20).

Les deux derniers poèmes se répondent enfin l'un l'autre : « Et moi » (p. 32, v. 1) / « Toi » (p. 33) comme si se renouait ce que la mort vient de séparer.

Des effets d'annonce

Enfin, certains mots ont valeur d'annonce, comme si *Leçons* formait le premier volet d'une suite :
– le motif de la « barque » (p. 29, v. 4) réapparaîtra dans *Chants d'en bas* (*Parler*, 5, p. 48, v. 5) ;
– le thème de la « pierre » (p. 30, v. 10) et de ce qui s'enfonce dans la terre resurgira et s'amplifiera dans *Chants d'en bas* (par exemple p. 61) et dans *À la lumière d'hiver* (par exemple p. 91) ;
– le motif de la « lumière » (p. 32, v. 11) annonce bien évidemment celle de « l'hiver ».

La structure de *Leçons* est donc tout à la fois simple et savante. Simple, parce qu'elle s'organise en une progression logique. Savante, parce que, autour de ce fil, s'entrelacent de multiples références.

2 | *Chants d'en bas :* structure du recueil

Comme *Leçons, Chants d'en bas* est un « livre de deuil ». Le recueil comporte deux sections : la première est intitulée *Parler* et la seconde *Autres chants*. Comme dans *Leçons*, l'ensemble est précédé d'un poème liminaire.

LE POÈME LIMINAIRE

C'est le souvenir et la vision d'une morte (« Je l'ai vue… », p. 37, v. 1). Bien que celle-ci ne soit pas nommée, il s'agit de la mère de Jaccottet. Le recueil se place ainsi d'emblée sous le double signe de la mémoire et de la mort. Le titre s'en trouve davantage explicité : l'expression « en bas » désigne ceux qui sont sous terre, sous la « pierre ».

PREMIÈRE SECTION : *PARLER*

Huit poèmes, numérotés de 1 à 8, la composent. « Parler » s'oppose à « chanter », c'est-à-dire à la poésie, puisque, depuis ses plus hautes origines, la poésie s'est toujours définie comme un chant. La confrontation à la mort et la conscience que l'homme a de sa destinée mortelle rendent, selon Jaccottet, ce chant impossible et même dérisoire. Car, contre la mort, la poésie ne peut rien. Cette première section s'organise dès lors en trois mouvements successifs.

L'impuissance du langage poétique traditionnel (poèmes 1 et 2)

Les deux premiers poèmes (p. 41 et 43) dénoncent une parole qui tourne à vide, qui est sans effet sur les épreuves de la vie. Autant que les mots (1, p. 42), les images – pourtant langage privilégié des poètes – sont une imposture (2, p. 43). Ni les uns ni les autres ne modifient quoi que ce soit.

La recherche d'un langage nouveau et authentique (poèmes 3 et 4)

Cette mise en cause radicale de la parole poétique ne réduit pourtant pas Jaccottet au silence. Car il existe une autre façon de parler (3, p. 45) et de rendre plus adéquats les mots et les choses. Le poète se trouve donc face à une contradiction : d'un côté, la mort déconsidère les mots ; de l'autre, certains mots luttent, au moins provisoirement, contre la mort. Faute de pouvoir faire disparaître cette contradiction, la parole poétique se devra d'exprimer ce paradoxe, cette tension entre deux pôles antagonistes.

Les hésitations devant la difficulté d'une telle entreprise (poèmes 5 à 8)

Se parlant à lui-même (5, p. 48 et 8, p. 51), le poète se juge trop démuni pour créer ce nouveau langage. « Parler » de la sorte est en effet « difficile » (7, p. 50). Aussi s'exhorte-t-il à quitter le monde de la poésie pour celui de l'action.

D'une section à l'autre

Un quintil en italique et mis entre parenthèses (p. 53) sépare les deux sections. Le poète (« Je ») s'y invective, se traitant d'« égout baveux ». La crise poétique qu'il traverse atteint ici son maximum d'intensité et de violence.

SECONDE SECTION : *AUTRES CHANTS*

Les six poèmes, cette fois non numérotés, qui composent cette section la structurent en trois temps.

▌La quête d'un « passage »

Ne pouvant renoncer à écrire, le poète tente de définir ce que pourrait être le nouveau langage poétique dont il a entrevu l'existence dans la première section. Face à l'impuissance des mots, il convient de saisir ce qu'il y a entre les mots, en deçà ou au-delà d'eux. C'est la seule issue, le seul « passage » possible. C'est ce qui permettra d'entendre encore les morts.

▌Le rêve et le désir

Cette quête prend dans les deux poèmes suivants (p. 60 et 61-62) la forme de rêves fortement érotisés. Le désir s'y déploie en effet en des images qui remontent tout à la fois aux sources de la vie et à celles du temps. Il se métamorphose en des scènes de chasses ancestrales et primitives où l'homme et la femme sont tour à tour chasseur et proie. Mais ce n'est pas là un spectacle pour enfant, pour la fille du poète (p. 63).

▌L'urgence d'écrire

Une parole heureuse redevient ainsi possible, même si elle demeure fragile, éphémère, précaire. En effet, la mort la balaiera. Le poète n'en ressent que davantage le besoin et l'urgence de formuler cette parole (p. 64 et 65). Le recueil s'achève ainsi sur la note d'un mince espoir.

UN JEU D'ÉCHOS, DE MIROIRS ET D'ANNONCES

Comme dans *Leçons*, la linéarité de la progression s'accompagne de phénomènes d'échos et d'anticipations.

Les jeux d'échos à *Leçons*

Le poème liminaire est, comme celui de *Leçons*, une confrontation à la mort ; même si l'identité du mort n'est pas la même, il s'agit dans les deux poèmes de proches parents.

Aussi la première section de *Chants d'en bas* reprend-elle, pour le développer et l'amplifier, le thème de l'impuissance du langage abordé dans le recueil précédent.

Les jeux de miroirs à l'intérieur du recueil

Le poème 7 (p. 50) de la première section est un poème-discours qui entre en symétrie, en opposition avec le poème 1 (p. 41). Les poèmes 5 (p. 48) et 8 (p. 51) se répondent l'un l'autre.

Le premier poème de la seconde section (p. 57-58) développe le motif du passage esquissé dans les poèmes 3 (p. 45) et 7 (p. 50) de la première section.

Les effets d'annonce

L'avant-dernier poème de *Chants d'en bas* (« Écris vite... », p. 64) trouvera un développement supplémentaire dans le premier poème de *À la lumière d'hiver* (« Dis encore cela... », p. 71). L'un et l'autre sont des exhortations que le poète se fait à lui-même pour continuer, malgré tout, ici d'« écrire » et là de « dire ».

3 | À *la lumière d'hiver* : structure du recueil

Un long poème ouvre le recueil. Deux sections le composent : la première compte quatre poèmes et la seconde dix.

LE POÈME LIMINAIRE

Il assure le lien avec la fin de *Chants d'en bas*. À l'injonction : « Écris vite » (p. 64, v.1) répond celle, insistante, « Dis encore » (p. 71, v. 1). S'il est donc une transition, le poème liminaire est aussi une introduction : une « dernière chance » (v. 16) existe encore pour « aimer la lumière » (v. 25). Transition et introduction annoncent les deux volets du recueil.

PREMIÈRE SECTION :
CORRESPONDANCES ET COMMENTAIRES

Les quatre poèmes qui composent la première section de *À la lumière d'hiver* reprennent et amplifient le thème, déjà abordé dans les deux précédents recueils, de l'impuissance du langage poétique traditionnel face à la mort. Tout se passe comme si Jaccottet commentait sa propre production poétique. Des marques d'oralité – « c'est vrai » (p. 77, v. 1) ; « Oui, oui, c'est vrai » (p. 79, v. 1) – donnent d'ailleurs l'impression d'un dialogue du poète avec lui-même.

Le premier poème (« Fleurs, oiseaux, fruits… », p. 77) développe celui de *Leçons* commençant par « Raisins et figues… » (p. 12, v. 1 et 16). Le sizain sur « la mort au travail » (p. 79) fait écho à l'accompagnement du mourant dans *Leçons* (p. 25, 27). Les deux derniers poèmes (p. 80 et 81) prolongent, quant à eux, toute la première section de *Chants d'en bas.*

C'est une des originalités de Jaccottet de revenir ainsi sur son œuvre antérieure, non pour se répéter ni par manque d'inspiration, mais par volonté de trouver l'explication ou la formule la plus juste qui soit. Comme si lui-même avait besoin de se convaincre du bien-fondé de sa démarche. Avancées et reculs caractérisent donc son écriture.

SECONDE SECTION :
LA QUÊTE DE L'APAISEMENT

Après les chocs affectifs et la crise poétique qui s'en est suivie, les dix poèmes de la seconde section marquent une renaissance. Celle-ci s'effectue progressivement, en quatre temps.

▌La fin de la crise poétique

Une promenade nocturne dans un jardin se transforme en révélation : la conscience de la mort ne détruit pas le désir et les rêves (p. 85-88). Bien qu'elle soit à l'image même de la mort, la nuit laisse en effet entrevoir une lumière : « L'aiguille du temps brille et court dans la soie noire » (p. 86, v. 42). Désirs et rêves permettent d'échapper à toute contrainte. Par eux et avec eux, l'adhésion au monde redevient possible. La poésie se doit donc de les accueillir et de les recueillir. Désirs et rêves prennent la forme d'une féminisation de la nuit, d'une « femme d'ébène » (p. 85, v. 15), d'une passante en « soie noire » (p. 88, v. 6).

▌L'« eau » régénératrice des rêves

Ces rêves sont comparés à une « eau invisible » (p. 90, v. 11) parce qu'ils lavent et purifient de toute angoisse. Grâce à cette eau, « où peut-être boivent encore d'invisibles bêtes » (p. 90, v. 13), tout se trouve modifié. En vivifiant les rêves, elle permet en effet de mieux entendre, de mieux voir et percevoir ce qui est au-delà du visible. L'eau devient ainsi, non pas ce qui sépare, mais ce qui réunit (comme la mer réunit des îles) : la nuit et la lumière, soi et les autres, la mort et la vie. Elle est ce qui assure une immense unité vitale. C'est pourquoi il convient de « laper cette lumière qui ne s'éteint pas la nuit » (p. 90, v. 16).

Une « eau » douce amère

Cette eau n'est toutefois pas une eau miraculeuse. Elle n'a rien de sacré et elle n'est pas davantage le don d'une quelconque divinité. Existe-t-elle d'ailleurs vraiment ? Le poète se prend parfois à en douter. Peut-être même ne la « boira »-t-il jamais (p. 92, v. 8), trop vieux qu'il est désormais pour espérer s'en désaltérer. Il s'accroche pourtant à l'idée de son existence, même si cette eau n'est que le « reflet » d'un rêve (p. 92, v. 2-3). Aussi est-elle à la fois « douce » et « amère » (v. 16-17). Car, si elle peut régénérer, l'eau peut aussi être celle des « larmes » qui « montent aux yeux comme d'une source » (p. 93, v. 1-2).

L'apaisement

Mort et vie, vie et mort sont donc liées. Pour vivre pleinement, il convient d'accepter la mort. De la terre monte « quelque chose » qui ressemble à une « lumière » (p. 95, v. 3), qui va vers nous et vers qui nous allons, comme pour des « rencontres d'amour » (p. 95, v. 12). Que la neige – autre forme de l'« eau » – soit donc à la fois un baume passé sur nos souffrances et le linceul de nos morts (p. 96). Les yeux du poète en conserveront la trace et le souvenir, jusqu'à ce qu'ils se ferment à leur tour (p. 97).

4 | Les poèmes : des objets visuels

La disposition typographique d'un poème sur la page ne doit jamais rien au hasard. Des espaces blancs peuvent ou non segmenter les vers ou isoler des ensembles. Immédiatement perceptibles, ces blancs confèrent au poème une forme, presque un corps. Tout autant qu'un texte à déchiffrer, le poème devient alors un objet à regarder. Voir et lire concourent ainsi à la construction du sens. Les blancs structurent les poèmes, en mettent en relief les éléments importants et en visualisent les effets.

LA STRUCTURATION DES POÈMES

Les poèmes s'organisent tantôt en ensembles compacts, tantôt en strophes diverses. Mais, toujours, les blancs délimitent visuellement des unités thématiques.

Des ensembles compacts

Certains poèmes se présentent d'un seul tenant, sans blancs. C'est le cas de ceux dont la structure renvoie à des organisations très anciennes. Ces poèmes forment ce qu'on appelle des « systèmes clos », parce qu'ils se suffisent à eux-mêmes. On rencontre ainsi :

– des quintils (strophes de cinq vers), dont l'usage remonte au Moyen Âge (*Leçons*, p. 18 ; *À la lumière d'hiver*, p. 97) ;

– des sizains (strophes de six vers), qui datent du XVIIe siècle (*À la lumière d'hiver*, p. 91) ;

– des huitains (strophes de huit vers), qui sont pratiqués depuis le XVIe siècle (*Leçons*, p. 31) ;

– des dizains (strophes de dix vers), en vigueur au XVe siècle (*Leçons*, p. 17) ;
– deux laisses enfin (deux groupements), l'une de 13 vers (*Leçons*, p. 30) et l'autre de 19 vers (*Chants d'en bas*, p. 60).

L'organisation en strophes

D'autres poèmes offrent une structure plus complexe. Des blancs les organisent en strophes. Clairement séparées les unes des autres, celles-ci n'en deviennent que plus identifiables. Le premier poème de *Leçons* (« Autrefois… », p. 11) comporte ainsi un quatrain (strophe de 4 vers) et deux tercets (strophes de 3 vers). Plus ample, le deuxième poème (« Raisins et figues », p. 12-13) compte un quintil, un quatrain et quatre tercets.

Dans *Chants d'en bas,* le poème qui ouvre la section *Autres chants* (p. 57-59) est le plus long des trois recueils. Les blancs l'organisent de la manière suivante : deux sizains, un tercet, un quintil, deux septains (strophes de 7 vers) et de nouveau un tercet, un sizain puis un quatrain.

Des unités thématiques

La disposition typographique des poèmes délimite souvent des unités thématiques. Dans les poèmes d'un seul tenant, à système clos, une seule unité thématique domine. Le quintil de *Leçons* (p. 18) est du début à la fin une vive apostrophe lancée aux « laborieux cerveaux » (v. 1) incapables de comprendre et de mesurer la distance vertigineuse qui sépare un agonisant d'un vivant. Le sizain de *À la lumière d'hiver* (p. 79) porte sur la « mort au travail » (v. 1).

Les poèmes possédant des structures plus complexes additionnent les unités thématiques, strophe après strophe. Le long poème, déjà mentionné, de *Chants d'en bas* (p. 57-59) orchestre ainsi les thèmes suivants :
– l'irrémédiable fuite du temps (premier sizain) et la difficulté de s'y soustraire (deuxième sizain) ;

– la recherche d'un « chemin » entre un passé trop lourd de souvenirs et un avenir que la mort prochaine rend anxieux (premier tercet) ;
– une exploration de ce « chemin » par l'indication des voies à ne pas emprunter (premier quintil) ;
– une caractérisation sous forme hypothétique de ce « passage » difficile (les deux septains) ;
– un encouragement à toujours le chercher (second tercet), malgré le poids des ans (troisième sizain) et l'ombre de la mort qui approche (dernier quatrain).

LA MISE EN RELIEF

Parce qu'ils isolent de ce qui précède et de ce qui suit, les blancs permettent la mise en relief d'un mot, d'un vers ou de segments grammaticaux.

▌Mise en relief d'un mot

Fréquemment les blancs isolent un mot (avec ou sans son déterminant), qui constitue donc un vers à lui tout seul :
– dans *Leçons* : « Autrefois » (p. 11), « Une stupeur » (p. 16), « Misère » (p. 23), « la montagne ? » (p. 32) ;
– dans *Chants d'en bas* : « Cela » (p. 41, v. 16), « inconnu... » (p. 50, v. 12) ;
– dans *À la lumière d'hiver* : « dans l'inconnu » (p. 71, v. 15), « jeunesse... » (p. 77, v. 10), « indéfiniment » (p. 81, v. 12).

Ainsi mis en lumière, le mot n'en prend que plus de force. Il est significatif que l'unique mot du premier vers du premier poème de *Leçons* soit « Autrefois » (p. 11). La rupture avec un certain passé poétique est d'emblée marquée et consommée. Point n'est besoin de commentaire.

▌Mise en relief d'un vers

Le procédé s'étend également à un vers entier. Séparé du reste du poème, il revêt une importance toute particulière. C'est souvent le cas à la fin des poèmes. Voici deux exemples qui illustrent le titre même de *Leçons* :

> ils n'ont pas de pire écolier. (p. 14)
> Instruits au fouet. (p. 23)

Les blancs donnent aux chutes[1] de ces poèmes une densité tragique.

Ces vers isolés peuvent toutefois se trouver à d'autres endroits du poème. En son milieu par exemple :

> L'encre serait de l'ombre. (*Chants d'en bas*, p. 65)

L'« ombre » étant ici synonyme de mort, Jaccottet encadre ainsi matériellement sa définition de la poésie : elle est expression et écoute des « chants d'en bas ».

Mise en relief de segments grammaticaux

Plus remarquables parce qu'ils sont plus inattendus, sont les blancs qui fractionnent les éléments grammaticaux d'une phrase. Le dernier poème de *Leçons* (« Toi cependant », p. 33) est une seule et longue phrase complexe. Grammaticalement, elle s'analyse de la manière suivante :

– une apostrophe : « Toi » (v. 1) ;

– trois groupes mis en apposition, commençant par « ou » (v. 2, 5, 6) ;

– une proposition subordonnée circonstancielle de concession : « quoi qu'il en soit » (v. 7) ;

– enfin la proposition principale : « demeure… » (v. 8-10).

Dans un texte en prose, la phrase s'étendrait sur cinq ou six lignes et perdrait une bonne part de sa puissance d'évocation. Les blancs qui en décomposent et en séparent les éléments constitutifs donnent au contraire une solennité presque sacrée à cet adieu du poète à son beau-père. (Des procédés identiques s'observent dans *Chants d'en bas* [*Parler*, 4, p. 47] ou dans *À la lumière d'hiver* [I, p. 77-78 ; II, p. 90].)

---

1. *Chute* : dans un poème, effet frappant ou inattendu produit par le dernier vers.

LA VISUALISATION DES EFFETS

Enfin, les blancs font toujours sens. Ils saisissent le surgissement des émotions ; ils marquent la progression d'un raisonnement ou les différents temps de l'écriture.

Saisir des instantanés d'émotions

Les mots fixent et disent les émotions. Leur intensité est souvent telle qu'elle exclut tout recours à la rationalité, à l'explication ou à l'art des transitions. Les blancs suppriment ces cheminements ou accompagnements logiques. Il ne reste ainsi que des instantanés photographiques qui saisissent les émotions au plus près de leur réalité.

Le poème de *Leçons* : « C'est sur nous... » (p. 21) en est un exemple des plus caractéristiques. Les deux premiers distiques (ensembles de deux vers formant un sens complet) disent la souffrance et, dans le même mouvement, le respect, la vénération (v. 4). La chute du poème enregistre une image à l'état brut, fort, dans une phrase grammaticalement réduite à son complément circonstanciel de temps. D'autres exemples de ce genre sont repérables dans *Leçons* (p. 27), *Chants d'en bas* (*Parler*, 6, p. 49), *À la lumière d'hiver* (p. 94).

Marquer la progression d'un raisonnement

Le premier poème de *Parler* (*Chants d'en bas*, 1, p. 41-42) est un poème-discours. Le poète s'insurge contre les facilités du langage. Les blancs marquent les étapes de son réquisitoire :
– le dizain dresse le constat : « Parler est facile », c'est un jeu sans risque et sans effet ;
– le quatrain en tire les conséquences : un tel jeu ne peut que susciter l'horreur ;
– le huitain en précise les conditions d'émergence ;
– et le tercet est une condamnation sans appel : « Parler » n'est plus seulement facile, c'est un « mensonge » et une imposture.

Une telle visualisation de la progression logique s'observe dans les deux poèmes suivants (*Chants d'en bas, Parler*, 2 et 3, p. 43 et 45), dans le premier poème d'*Autres chants* (p. 57-59) ou encore dans *À la lumière d'hiver* (p. 95).

▌ Marquer les différents temps de l'écriture

Les unités thématiques constituées par les blancs ne sont pas toutes contemporaines les unes des autres. Certaines d'entre elles fonctionnent comme des commentaires *a posteriori* du poète sur ses propres notations et observations. Ainsi, dans *Leçons* (p. 25), le dernier tercet (« Moi, je n'ai vu que cire... ») tire une conclusion nécessairement plus tardive que l'évocation des souffrances du mourant dans le tercet initial (« On le déchire... »). Les blancs sont ainsi comme des prises de recul.

Ils peuvent également traduire une tension, une contradiction entre les éléments qu'ils séparent. Le distique qui clôt le poème : « Déchire ces ombres... » (*Chants d'en bas, Parler*, 8, p. 51) prend l'exact contre-pied du septain qui le précède. Le désir de ne plus songer à la mort se heurte à la peur de mourir.

Les blancs offrent donc une particularité paradoxale : pour dessiner par définition un espace dépourvu de mots, ils n'en sont pas moins créateurs de sens. Et, par la manière dont ils composent et disposent le poème sur la page, ils l'apparentent à un tableau.

5 | Le vers libre

Longtemps un poème s'est reconnu à ce qu'il était écrit en vers. Cependant, à la fin du XIXᵉ siècle, apparaît une nouvelle conception du poème qui s'affranchit des règles et contraintes de la versification ordinaire. C'est la naissance du vers libre.

Jaccottet en fait un usage systématique dans les trois recueils. Le phénomène est d'autant plus notable qu'il en constitue l'une des originalités. Dans ses recueils antérieurs, comme *L'Effraie* ou *L'Ignorant,* Jaccottet pratiquait encore une versification traditionnelle, le décasyllabe ou l'alexandrin par exemple. L'hétérométrie[1] est désormais chez lui générale, et ses effets en sont très variés.

UNE HÉTÉROMÉTRIE GÉNÉRALISÉE

Les vers sont des vers de longueur très variable, où la rime n'est pas obligatoire, et où les accents ne sont pas fixes.

Des vers de longueur très variable

Une même strophe ou un même ensemble comporte des vers très différents les uns des autres. On rencontre ainsi :
– des vers de deux syllabes : « Misèr(e)[2] » (*Leçons,* p. 23, v.1) ;
– des vers de trois syllabes : « Autrefois » (*Leçons,* p. 11, v.1) ;
– des vers de quatre syllabes : « L'hiver, le soir » (*À la lumière d'hiver,* II, p. 94, v. 1) ;

---

1. *Hétérométrie* : utilisation dans un poème de différents types de vers. Elle est le contraire de l'*isométrie* qui consiste à n'employer qu'un seul et unique type de vers.
2. Rappelons qu'un [e] non accentué à la rime n'est pas compté ; c'est un [e] muet. « Misère », placé seul au début du vers, compte deux syllabes.

– des vers de cinq syllabes : « Assez ! oh assez » (*Chants d'en bas*, *Parler*, p. 48, 5, v. 1) ;

– des vers de six syllabes (hexasyllabes) : « s'écoul(e) en moi, s'effac(e) » (*Autres chants*, p. 65, v. 4) ;

– des vers de sept syllabes (heptasyllabes) : « pour l'envol d'aucun oiseau » (*Leçons*, p. 25, v. 14) ;

– des vers de huit syllabes (octosyllabes) : « et regarde de tous tes yeux » (*Chants d'en bas*, *Parler*, 5, p. 48, v. 4) ;

– des vers de neuf syllabes (ennéasyllabes) : « vient un moment où l'aîné se couch(e) » (*Leçons*, p. 12, v. 6) ;

– des vers de dix syllabes (décasyllabes) : « les pas qui traînent dans les froids couloirs » (*Chants d'en bas*, *Autres chants*, p. 61, v. 3) ;

– des vers de onze syllabes (hendécasyllabes) : « comme les fards et les parfums du vieux beau » (p. 57, v. 17) ;

– des vers de douze syllabes (alexandrins) : « Aide-moi mainte-nant, air noir et frais, cristal » (*À la lumière d'hiver*, II, p. 85, v. 1) ;

– des vers de treize syllabes : « Or on peut raisonner sur la douleur, sur la joie » (*ibid.*, I, p. 81, v. 6) ;

– des vers de quatorze syllabes : « Arrête-toi, enfant, tes yeux ne sont pas faits pour cela » (*Chants d'en bas*, *Autres chants*, p. 63, v. 1) ;

– des vers de quinze syllabes : « Cherchons plutôt hors de portée, ou par je ne sais quel gest(e) » (*ibid.*, p. 58, v. 35) ;

– et même des vers de seize syllabes : « visible, comme la bougie derrière son écran jauni » (*À la lumière d'hiver*, II, p. 96, v. 10).

▌Ni rime ni assonance obligatoires

Les rimes associent en principe l'homophonie (retour d'un même son identique à la fin de deux vers) et l'homographie (iden-tité des syllabes finales). Elles sont rares dans les trois recueils. Lorsqu'elles existent, elles sont toujours des rimes dites faciles, comme de faire rimer deux participes présents : « regardant/écou-tant » (*Leçons*, p. 32, v. 5-6) ; ou « suppliant/retirant » (*À la lumière d'hiver*, II, p. 85, v. 11-12).

Une assonance consiste, quant à elle, en la répétition d'une même voyelle accentuée à la fin de deux vers (sans présence d'homographie). Elles sont plus nombreuses que les rimes : « cri/vie » (*Leçons,* p. 25, v. 10-11) ; « prairie/ici » (p. 30, v. 5-6) ; « calfeutré/demander » (*Chants d'en bas, Parler,* 1, p. 41, v. 3-4) ; « franchis/vie » (*ibid.,* 8, p. 51, v. 6-7) ; « apaisées/léger » (*À la lumière d'hiver,* II, p. 87, v. 44-45)…

Pas d'accent fixe

Qu'ils soient libres ou traditionnels, tous les vers possèdent un accent fixe situé à la fin, sur la dernière syllabe qui n'est pas muette (qui ne se termine pas par une *e* muet, non prononcé) :

> Aide-moi maintenant, air noir et frais, cristal
> noir. Les légères feuilles bougent à peine, »
>
> (*À la lumière d'hiver,* II, p. 85, v. 1-2).

Mais le vers libre ignore tous les autres accents fixes des vers traditionnels, comme la césure qui coupe par exemple un alexandrin en deux parties égales (en deux hémistiches). Les accents peuvent être placés en des endroits imprévisibles. Par exemple :

> avec les autres, / qui sont morts, / lointains / ou endormis »
> (*Chants d'en bas, Parler,* 7, p. 50, v. 7).

Jaccottet se libère donc de toutes les règles de la versification.

LES EFFETS DU VERS LIBRE

Le vers libre obéit à des finalités très diverses. Deux d'entre elles sont plus fréquentes que d'autres : il s'agit d'organiser la pensée et de créer des rythmes expressifs. Deux cas particuliers méritent toutefois d'être signalés.

L'organisation de la pensée

La longueur inégale des vers structure souvent la phrase et les étapes d'un raisonnement. Par exemple :

Recueille les oiseaux et la lumière [*décasyllabe*]
Un temps encor(e) [*quatre syllabes*],
toi qui grandis pareille à un tremble scintillant [*treize syllabes*],

ou recule – si tu ne veux pas crier de peur [*treize syllabes*]
sous le harpon [*quatre syllabes*].
(*Chants d'en bas, Autres chants*, p. 63, v. 5-9)

Chacun de ces vers correspond à un segment grammatical : proposition principale/COD/proposition subordonnée relative/seconde proposition principale/proposition subordonnée de condition/COI. Quant aux blancs, ils sont comme des moments de silence dus à la réflexion. De nombreux exemples abondent dans les trois recueils : dans *Leçons*, p. 23, 31 ; dans *Chants d'en bas*, p. 48-49 ; dans *À la lumière d'hiver*, p. 93, 94, 95...

▌La création de rythmes expressifs

La longueur des vers est en outre dépendante de l'affectivité. Plus l'émotion est forte, plus le vers est bref. Aussi est-ce dans *Leçons* que l'on trouve le plus souvent les vers de trois, quatre, cinq ou six syllabes. À l'inverse, plus le vers est long, plus il est argumentatif ou démonstratif, comme dans la première section de *Chants d'en bas*.

L'instabilité rythmique que crée la succession de vers inégaux traduit enfin un désarroi intérieur, provoqué par le « travail de la mort » :

Frontière. Pour un peu de temps
nous le voyons encore.
(*Leçons*, p. 19, v. 3-4).

Quand après le deuil s'opère une certaine renaissance, le rythme devient, dans *À la lumière d'hiver*, plus harmonieux, moins saccadé. Dans tous les cas, la nature du vers participe au sens du poème.

▌Deux cas particuliers

La pratique du vers libre chez Jaccottet présente deux particularités. On remarque d'une part l'usage du tiret (–) qui accentue le déséquilibre rythmique :

– ou bien le tiret sert à préciser une image :

> vite essouflés – vieux chiens de garde sans grand-chose
> à garder ni à mordre –,
> *(Chants d'en bas, Autres chants,* p. 57, v. 4-5) ;

– ou bien il introduit une nuance dans l'exposé d'un raisonnement ; par exemple :

> qu'il ne peut pénétrer – rugirait-il d'un prétendu triomphe –
> *(ibid.,* p. 60, v. 13).

Et d'autre part le non-décalage d'un vers à gauche, comme dans l'exemple suivant :

> ou pire que cela...
>   Cours au bout de la ligne
> *(ibid.,* p. 64, v. 4-5).

L'effet, dans ce cas, est souvent double. Il accentue l'instabilité du rythme et peut, comme dans l'exemple précédent, mimer le sens (le vers est lui-même au « bout de la ligne »). (Pour d'autres exemples, on pourra se reporter à : *Chants d'en bas,* p. 45, 49 ; *À la lumière d'hiver,* p. 71, 77, 78, 81, 82, 85, 86, 90.)

Aucun poème ne peut donc se comprendre, s'expliquer et s'apprécier sans tenir compte de l'usage que Jaccottet fait du vers libre.

6 | L'évocation de la mort

La mort est à la source de la poésie de Jaccottet. Il l'évoque, non pas de manière abstraite, philosophique, mais de manière intime et concrète. Des premiers symptômes de la maladie à l'inhumation, *Leçons* retrace l'agonie de son beau-père, Louis Haesler. *Chants d'en bas* est contemporain du décès de sa mère. *À la lumière d'hiver* dresse le bilan de cette double expérience. Parce qu'il a vécu au plus près cette confrontation à la mort et à la mort la plus douloureuse qui soit, celle d'êtres aimés, Jaccottet se refuse à l'embellir ou à l'héroïser. Ses poèmes disent au contraire l'horreur absolue du mourir[1]. C'est un avilissement insupportable de l'agonisant, une déchirure radicale et une incompréhension totale.

UN AVILISSEMENT INSUPPORTABLE

La déchéance physique, une torture intolérable sont l'œuvre de l'innommable qu'est la mort.

La déchéance physique

Agoniser, c'est d'abord subir une double régression, spatiale et temporelle. La vie se réduit presque géographiquement. Le malade qui était debout est soudain « jeté bas » (*Leçons*, p. 15, v. 2). Le voici dans « l'angle de la chambre » (p. 9, v. 1), recroquevillé dans un lit désormais trop grand pour lui (p. 15, v. 6 ; *Chants d'en bas*, *Parler*, 2, p. 44, v. 25).

---

1. En philosophie, le *mourir* désigne le processus même du décès, tandis que l'*agonie* désigne les moments précédant la mort.

Ce rapetissement s'accompagne d'une régression temporelle. L'agonisant redevient enfant, mais un enfant qui ne peut ni pleurer ni appeler au secours (p. 15 et 44). Il a tant maigri qu'il ne pèse presque plus rien. Il n'est pas encore mort qu'espace et temps se sont inexorablement rétrécis.

Une torture intolérable

En outre, la souffrance de l'agonisant est intolérable. Des verbes comme *déchirer*, *arracher* (*Leçons*, p. 25, v. 1) en soulignent la violence. Des adjectifs qualificatifs comme « acculé » ou « cloué » (p. 15, v. 9) suggèrent un long martyre. L'image du « coin » (p. 21, v. 9 ; *Chants d'en bas*, p. 37, v. 6) que l'on enfonce dans un tronc d'arbre pour le fendre, exprime l'intensité du supplice éprouvé. De même, le « fer » (*Leçons*, p. 21, v. 11 ; p. 24, v. 8) – hache, épée ou couteau – entaille et fouaille le corps du malheureux. Comme une page, la peau se déchire. Elle se rétracte sous la douleur comme une feuille se racornit sous une flamme qui la dévore (*Autres chants*, *Parler*, 2, p. 43-44).

« Cela », l'innommable

Omniprésente, la mort n'est pourtant que très rarement nommée. Elle ne l'est jamais dans *Leçons* ; elle l'est deux fois dans *Chants d'en bas* (*Parler*, 4, p. 47, v. 7-8) et trois fois dans *À la lumière d'hiver* (p. 71, v. 8 ; p. 79, v. 1-2). Le plus souvent, la mort est « cela » (*Leçons*, p. 12, 22, 27, 41). Elle est un innommable. D'abord parce qu'elle est trop ignoble pour être qualifiée : elle charrie l'« horreur », l'« ordure » (p. 22, v. 1) ; elle provoque une répulsion telle qu'on ose à peine la regarder en face (p. 21, v. 5).

Innommable, la mort l'est ensuite parce qu'elle reste un mystère, un « mur » dont chacun ignore tout. Aussi seuls un pronom démonstratif neutre, « cela », ou le pronom indéfini « on » (p. 25, v. 1, 7) conviennent-ils.

UNE DÉCHIRURE RADICALE

L'agonie se vit en même temps dans une double solitude, celle du mourant et celle de l'entourage qui le veille. Toute communication devient vite impossible.

▌La solitude du mourant

Torturé, privé de tout échappatoire, l'agonisant, même entouré des membres de sa famille, est seul, irrémédiablement. Dans ses yeux se lisent d'abord un étonnement effaré puis la tristesse devant ce qui lui arrive (*Leçons*, p. 16). Entre lui qui n'est déjà presque plus un vivant et les autres qui ignorent tout de ce qu'il ressent, la distance devient incommensurable, infranchissable. Entre une étoile et nous, elle est certes infinie, mais elle demeure calculable, mesurable. Entre un agonisant et nous, elle ne l'est pas. L'agonisant se meut dans un ailleurs où les mesures traditionnelles, humaines, n'ont plus cours (*Chants d'en bas, Autres chants*, p. 57).

▌La solitude de l'entourage

Ceux qui veillent l'agonisant ne sont pas moins démunis. Faute de pouvoir communiquer avec lui, le locuteur (« je ») en est réduit à imaginer ses pensées. Il lui prête un monologue (*Leçons*, p. 20). Mais quelle valeur celui-ci a-t-il ? Correspond-il à la réalité ? Comment le savoir ? Ce monologue fictif n'en souligne que davantage l'impossibilité de tout dialogue. Il ne reste plus en définitive que les gestes, ceux qui consistent à changer l'eau et le linge d'ultimes toilettes (p. 13, v. 19). Il ne reste que les larmes (p. 23, v. 7).

▌Une communication impossible

En effet, aucun échange verbal ne peut s'instaurer. Le « lien des mots » (p. 19, v. 1) se défait irrémédiablement. Déjà l'agonisant n'entend plus. Et même s'il entendait, comprendrait-il ce qu'on voudrait lui dire ? Notre langue lui est devenue étrangère ; et nous ne savons pas, à l'inverse, quelle est désormais la sienne (p. 19). La brisure est totale. Le verbe *briser* revient d'ailleurs régulièrement dans *Leçons* (p. 16, v. 5 ; p. 17, v. 10 ; p. 18, v. 4). La mort est une déchirure affective, physique, qui sépare à jamais deux rives.

UNE INCOMPRÉHENSION TOTALE

Toujours injuste, à jamais inintelligible et monstrueuse, la mort est, pour ces raisons, définitivement et totalement incompréhensible.

▌L'injustice de la mort

De telles souffrances, physiques et morales, sont d'autant plus inacceptables que « Il » était la « droiture » même (*Leçons*, p. 9, v. 3). L'image qu'il laissera dans le souvenir de ses proches est celle d'un « modèle de patience et de sourire » (p. 33, v. 8). C'était en effet un « bon maître » (p. 15, v. 3), une force, un « rocher de bonté grondeuse et de sourire » (p. 27, v. 7). Comme si, pour toute récompense, tant de qualités devaient recevoir punition et châtiment !

Plus discrètement louée, la morte de *Chants d'en bas* n'en était pas moins « droite » (p. 37, v. 1), elle aussi était aimante, aimée, même maladroitement (v. 13). La mort des proches est une injustice parce qu'elle rompt l'affection, l'estime ou le respect qu'on leur portait.

▌L'inintelligibilité de la mort

La mort est aussi un scandale pour l'esprit. Certes tout meurt ici-bas, les oiseaux comme les fleurs. Du moins disparaissent-ils dans un effacement silencieux, sans « trace de blessure » (*Leçons*, p. 24, v. 5). Seul l'homme meurt dans les pires souffrances. Pourquoi faut-il un « fer si tranchant » (p. 23, v. 6) pour qu'il en finisse avec la vie ? Qui est-il ou qu'a-t-il mérité pour qu'il « faille ce fer dans le sang » (p. 24, v. 8) ? C'est là une chose impossible à comprendre.

Ces souffrances ne sont pas en effet le prix à payer pour entrer dans une nouvelle vie, dans un quelconque au-delà, auquel le locuteur ne croit pas (p. 25, v. 9-11). Les dieux n'existent pas ou, s'ils existent, ils sont « lointains » (*À la lumière d'hiver*, II, p. 93, v. 6), « muets, aveugles, détournés » (v. 7). Devant ce vide ou ce silence du ciel, toute mort est un inexplicable martyre.

La monstruosité de la mort

Quand l'homme devient cadavre, il n'a pas seulement cessé d'être, il se transforme en un objet inconnu, en tout cas « méconnaissable » (*Leçons*, p. 27, v. 2). Entre un cadavre et un vivant, il y a plus de distance qu'entre « un météore » et nous (v. 3). C'est que, pour Jaccottet, l'homme est d'abord et seulement un « souffle », un « hasard aérien » (v. 5), un « nœud d'air » (p. 23, v. 5). Quel rapport peut-il donc avoir avec ce corps désormais immobile, pesant, semblable à la pierre tombale qui va le recouvrir ? Privé de « souffle », il devient « pourriture » (p. 27, v. 9). C'est comme une ultime insulte, comme un « crachat » jeté – mais par qui et pourquoi ? – sur la condition humaine (v. 10). C'est pourquoi « je » traite le mort comme la mort : par un pronom démonstratif neutre, par un « cela » à emporter (v. 4). Ce ne sera ni aux dieux ni à la nature mais à la poésie de ressusciter, fût-ce provisoirement, ces morts en nous.

7 | La crise du langage poétique

Leçons et *Chants d'en bas* sont doublement des « livres de deuil ». La perte d'êtres chers provoque en effet celle d'une certaine conception de la poésie. Le deuil affectif s'accompagne donc d'un deuil poétique. Ce deuil est provoqué par la défaite de la parole. Et celle-ci signe un adieu définitif à un idéal poétique ancestral. La poésie entre en crise.

LA DÉFAITE DE LA PAROLE

La confrontation à la mort fait prendre conscience de l'inefficacité de la parole, de son mensonge et même de son imposture.

Son inefficacité

Entre le langage et le réel s'introduit une distance à jamais irréductible. Si les mots désignent les choses et les sentiments, ils ne les créent ni ne les suscitent. On peut recopier autant de fois que l'on veut le mot « sang », la page d'écriture n'en sera pas pour autant « tachée » (*Chants d'en bas*, *Parler*, 1, p. 41, v. 9). Phonétiquement « presque pareils », les mots « fleur » et « peur » possèdent des sens très différents : on ne les écrit pas moins avec la « même encre » (v 6-7). On peut même disserter à loisir « sur la douleur, sur la joie » (*À la lumière d'hiver*, I, p. 81, v. 6), on ne ressentira et ne provoquera chez le lecteur ni douleur ni joie. À l'ombre de la mort, la parole, toute parole, « n'atteint plus son objet », elle tourne à « vide » (v. 16-17).

Son mensonge

Quels mots dès lors utiliser pour dire ce « cela », cette obscénité du mourir ? L'embellir serait mentir. Recourir aux images, aux
comparaisons et aux métaphores, serait travestir la réalité, brutale
et horrible. Aussi ne faut-il pas attendre de Jaccottet qu'il « marie
la lumière à ce fer » (*Leçons*, p. 21, v. 11) qui torture le mourant.
Les seuls mots qui s'imposent sont ceux que le langage poétique
bannit ordinairement : les « mots de l'ordure » (p. 22, v. 1-2), du
dégoût et du vomissement : « À peine ose-t-on voir » (p. 21, v. 5).
Et encore, à certains moments, ces mots crus deviennent eux-
mêmes inutiles. Il faut leur substituer d'humbles et simples gestes,
comme de changer « le linge et l'eau » (p. 13, v. 19).

Son imposture

Pire qu'un mensonge, « tracer des mots sur la page » est,
dans ces circonstances, une imposture (*Chants d'en bas*, *Parler*,
1, p. 41, v. 24). D'abord parce que c'est sans risque (v. 2) et que
l'on peut s'installer confortablement à sa table de travail (v. 4-5).
Ensuite et surtout, parce que ce « jeu » (v. 11) est une « insulte
à la douleur » (v. 25). Devant un être qui se meurt, qui se recro-
queville sur lui-même, dont les souffrances déforment les traits,
toute parole n'est pas seulement inutile, mensongère, elle est
une lâcheté et une trahison. Il n'y a pas d'autre possibilité que de
« parler en autre langue que de bête » (*Chants d'en bas*, *Parler*, 2,
p. 43, v. 33), c'est-à-dire de renoncer au langage. La mort fait tout
« pourrir » (4, p. 47, v. 8), les corps comme les mots.

L'ADIEU À UN IDÉAL POÉTIQUE

Cette mise en cause de la parole jette à bas tout un héritage
poétique ancestral. C'est la mort d'Orphée, du poète-prophète et,
en définitive, du « chant ».

La mort d'Orphée

Depuis la plus haute Antiquité, Orphée est le prince légendaire de la poésie et des poètes. Inventeur de la lyre, il charmait par la magie de son chant les dieux, les hommes et les choses, jusqu'aux pierres. Descendu aux Enfers, il obtint des divinités souterraines d'en ramener son épouse Eurydice – avant de la perdre définitivement par sa faute[1]. La poésie a depuis toujours entretenu un rapport avec le sacré, avec l'au-delà. Même s'il ne prononce pas le nom d'Orphée, c'est à cette tradition que renonce Jaccottet. « Autrefois », quand il n'avait pas encore été brutalement confronté à la mort, il « prétend[ait] guider mourants et morts » (*Leçons*, p. 11, v. 4). Cette époque où il était encore confiant dans les pouvoirs de la poésie est révolue.

La mort du poète-prophète

S'il ne peut plus être un nouvel Orphée, le poète n'est pas davantage un prophète moderne. Remontant là encore à l'Antiquité, toute une tradition, que les poètes romantiques[2] reprendront à leur compte au XIXe siècle, fait du poète tantôt un élu des dieux tantôt un visionnaire, toujours un être inspiré. « Trahi par tous les magiciens et tous les dieux » (*À la lumière d'hiver*, I, p. 77, v. 16), Jaccottet ne saurait être une « bouche d'or » (*Chants d'en bas, Autres chants*, p. 53, v. 3-4), un autre saint Jean Chrysostome[3]. Porteur d'aucune vérité, d'aucun message, il ne peut écrire « à l'ange de l'Église de Laodicée[4] » (p. 64, v. 11). Le poète se trouve ainsi dépouillé de ses prestigieux et millénaires attributs.

---

1. Les dieux avaient mis pour condition du retour à la vie d'Eurydice qu'Orphée ne se retourne pas pour la regarder tant qu'il ne serait pas revenu au jour. Mais, impatient de voir sa chère épouse, Orphée se retourna trop vite et trop tôt.
2. Victor Hugo (1802-1885), par exemple, fera du poète un voyant, un « rêveur sacré ».
3. Prêtre, patriarche de Constantinople et docteur de l'Église (349-407), il fut surnommé « Chrysostomos », c'est-à-dire « bouche d'or », en raison de son éloquence et de ses prédications enflammées.
4. Sur saint Jean l'Évangéliste et l'Église de Laodicée, voir plus haut p. 32.

▌La mort du « chant »

Dès lors la poésie ne peut plus être une révélation ou une célébration. Elle ne peut plus chanter innocemment la beauté du monde. « Sans doute, sans doute », il y a les « raisins et figues » (*Leçons*, p. 12, v. 1 et 5), il y a les « fleurs, oiseaux, fruits » (*À la lumière d'hiver*, I, p. 77, v. 1). Mais ce lyrisme est devenu incongru, et ses procédés rhétoriques, comme de faire de la « fragilité » une « force », ne sont que des acrobaties verbales (v. 3-4). « Chanter » à l'ancienne n'est tout simplement plus pensable. Entre le poète et le monde, la mort a introduit son « coin ». Ce n'est pas seulement avec l'auteur de *L'Effraie* et de *L'Ignorant* que rompt Jaccottet, c'est aussi avec tout un lointain passé poétique.

LA POÉSIE EN QUESTION

Menacée dans sa parole et ses idéaux, la poésie vit donc une crise radicale. En témoignent le glissement que Jaccottet opère de « chanter » à « parler » ainsi que sa tentation du silence. Pour être désespérante, l'impasse n'en possède peut-être pas moins une issue.

▌De « chanter » à « parler »

La régression qu'implique le glissement d'un infinitif à l'autre est symptomatique de cette crise poétique. À défaut de pouvoir désormais « chanter », il reste la possibilité de « parler ». « Parler » est en effet à la mesure de l'homme et exclusivement de l'homme. Ni les dieux ni les prophètes ni les magiciens ni aucun être inspiré ne « parlent » : eux « chantent » ou « chantaient ». Encore l'emploi de l'infinitif réduit-il cette possibilité qui reste à l'homme. Il est grammaticalement sans sujet, comme dépersonnalisé. Même ce « parler » demeure problématique.

Preuve en est la série de textes constituant la première section de *Chants d'en bas*. Le premier d'entre eux s'apparente à une dissertation sur les facilités du langage (1, p. 42) ; le deuxième (2, p. 43), à une réflexion sur la valeur poétique de certains mots.

Tous possèdent une forte armature logique. Les connecteurs argumentatifs y sont en effet nombreux : « aussi », « c'est quand », « car », « pourtant », « ainsi », « donc ». On peut dès lors se demander à quel genre littéraire ces textes appartiennent. Sont-ils encore des poèmes ? On peut tout aussi bien les qualifier de discours, d'analyses critiques, de commentaires. Le statut du texte poétique se trouve ainsi remis en question.

La tentation du silence

La crise de la poésie se double d'une crise de la vocation poétique. À quoi bon continuer de « parler » ? Jaccottet éprouve violemment la tentation de se taire : « Assez ! oh assez » (*Chants d'en bas*, *Parler*, 5, p. 48, v. 1). Lui-même ne se reconnaît plus. Se voit-il toujours poète ? Il se traite de « sentencieux phraseur », d'« égout baveux » (p. 53, v. 2 et 5). Il reconnaît ne plus savoir les « mots » (*À la lumière d'hiver*, I, p. 78, v. 23), s'égarer en « eux », n'en avoir plus le « juste usage » (p. 82, v. 25).

Le voici même proche d'une sorte de lucidité littéraire : « Détruis donc cette main », se dit-il à lui-même dans un accès de rage (*Parler*, 5, p. 48, v. 2). Comment écrire sans « main » ? Le moyen est radical pour ne plus « tracer » de « fumées » (v. 2-3). Le quintil imprimé en italique et qui s'insère entre la première et la seconde section de *Chants d'en bas* (p. 53), est encore plus agressif : le locuteur (« Je ») méprise ce qu'il a été, cette méprisable « bouche d'or » fière de son emphase, et il méprise « l'égout baveux » qu'il est en train de devenir. L'auto-accusation débouche sur une tentative d'autodestruction : « Je t'arracherais bien la langue » (v. 4-5). La crise poétique atteint ici son paroxysme.

Sortir de l'impasse ?

Cependant, cette crise est-elle sans issue ? Plusieurs indices permettent d'en douter. Il y a d'abord quelque paradoxe à dénoncer l'impuissance du langage par les mots mêmes du langage. C'est signe que « quelque chose » résiste, que son inefficacité n'est pas absolue. Deux poèmes se font à cet égard contradictoirement écho. Si « parler est facile » (*Chants d'en bas, Parler*, 1, p. 41, v. 1), « parler est donc difficile, si c'est chercher… » (p. 50, 7, v. 1). Une autre parole est donc envisageable, même si elle est obscure, délicate à formuler. Cette parole est celle qui permettra de retrouver la présence des morts. Elle ne peut être que difficile à élaborer, à prononcer, car elle est semblable au « bruissement du tambour pour peu que l'effleure le doigt inconnu » (*Parler*, 7, p. 50, v. 11-12).

En second lieu, la mort qui frappe d'inanité les conceptions poétiques traditionnelles ne tue pas tout langage, ou du moins pas complètement. « Quelque chose n'est pas entamé » par son « couteau », constate Jaccottet. Si elle est une déchirure, « quelque chose se referme après son coup comme l'eau derrière la barque » (*À la lumière d'hiver*, I, p. 79, v. 5-6).

Si, pour Jaccottet, la poésie a encore un avenir, c'est dans la recherche et l'expression de ce « quelque chose » profond et mystérieux. Ce sera tout l'enjeu de ce que le poète appelle lui-même la « poésie précaire ».

8 | Une « poésie précaire »

Dans *Éléments d'un songe,* une de ses œuvres en prose parue en 1961, Philippe Jaccottet évoque la « précarité » de la poésie moderne. Depuis, le mot a souvent été réutilisé[1] et appliqué à la poésie de Jaccottet lui-même. Qu'est-ce à dire toutefois ? Étymologiquement est « précaire » ce qui, étant obtenu d'une puissance supérieure, peut être retiré par cette même puissance. Dans tous les cas est « précaire » ce qui est révocable et, par extension, tout ce qui est éphémère, instable. La poésie de Jaccottet se place sous le signe de la « précarité » parce qu'elle se sait menacée, parce qu'elle se veut fragile et modeste.

UNE POÉSIE MENACÉE

La fuite du temps puis la mort affaiblissent la parole poétique, qui finit par douter d'elle-même.

Par la fuite du temps

Comment éviter d'« être vaincu avant le temps » (*Chants d'en bas, Autres chants,* p. 57, v. 8), avant qu'il ne soit trop tard ? L'obsession du vieillissement est constante. Se souvenant de Rutebeuf[2], Jaccottet s'interroge :

Oh mes amis d'un temps, que devenons-nous ? (*ibid.,* v. 1)

---

1. Par Jérôme Thélot, par exemple, dans son étude précisément intitulée *La Poésie précaire,* PUF, 1997.
2. Poète de la seconde moitié du XIIIᵉ siècle, Rutebeuf est l'auteur d'une *Complainte,* où l'on rencontre ce vers : « Que sont mes amis devenus ? »

Un « homme qui vieillit » a trop de « clous [de souffrances] dans la gorge » pour pouvoir encore « chanter ». Les « images » qu'il porte en lui sont « raides comme du fer » (*À la lumière d'hiver*, I, p. 81, v. 1-3). La dégradation physique va s'accélérant, qui diminue d'autant les capacités créatrices. « Notre sang pâlit » (*Chants d'en bas, Autres chants*, p. 57, v. 2), « la cloche se dérègle » (p. 64, v. 9) et « notre crâne » est « une cruche d'os » qui sera « bientôt bonne à jeter » (*À la lumière d'hiver*, II, p. 92, v. 14-15). La poésie vit donc en état d'urgence.

Par la mort

Elle vit d'autant plus dans l'urgence que la mort se dresse au terme d'un temps qui sera un jour passé. Or, parce qu'elle est l'horreur et l'indicible, la mort « pourrit » les mots (*Chants d'en bas, Parler*, 4, p. 47, v. 8). Elle n'a ni nom ni forme, elle est un « cela » innommable, une « ordure non à dire ni à voir » (*Leçons*, p. 22, v. 6). Elle n'est en aucun cas « matière à poème » (*Chants d'en bas, Parler*, 2, p. 43, v. 15), ni susceptible d'aucun embellissement. Elle annihile toute parole. Le mourant chez qui « le lien des mots commence à se défaire », devient « muet ». Ceux qui le veillent sont trop « bourrés de larmes » (*Leçons*, p. 19, v. 1 ; p. 23, v. 7) pour parler à leur tour. Marier « la lumière » au « fer » (p. 21, v. 11), c'est-à-dire jongler avec les mots et les images, serait une lâcheté, une insulte à la douleur (*Chants d'en bas, Parler*, 1, p. 42, v. 24). [Pour plus de détails sur ce thème, → PROBLÉMATIQUE 7].

Par le doute d'elle-même

Cette confrontation à la mort révèle enfin l'impuissance de la parole poétique. Démise de ses fonctions séculaires de médiatrice entre l'homme et le sacré, dépouillée de ses dons prophétiques, la poésie s'interroge sur ses missions et son statut. À quoi sert-elle ? En quoi consiste-t-elle vraiment ? « Parler » est facile quand on est plein d'illusions. Mais, quand tout s'effondre, « parler » devient « difficile si c'est chercher… chercher quoi ? », se demande

Jaccottet (*Chants d'en bas, Parler*, 7, p. 50, v. 1). Lorsqu'il n'y a plus qu'angoisse et doute, seuls subsistent le besoin et la nécessité d'écrire « vite ce livre », d'achever « vite aujourd'hui ce poème » avant que le découragement et la peur n'empêchent d'aller « au bout de la ligne », de la page (*Autres chants*, p. 64, v. 1-5).

UNE POÉSIE FRAGILE

Menacée dans son existence, la poésie de Jaccottet est d'autant plus précaire qu'elle se propose de saisir l'éphémère, de capter l'insaisissable et de trouver la « juste voie » qui convienne.

❙ Par son désir de saisir l'éphémère

L'avant-dernier poème de *Chants d'en bas* (*Autres chants*, p. 64, v. 14-18) rappelle la nécessité d'enfermer « en hâte » dans les mots « un dernier pan doré du jour », c'est-à-dire de capter l'évanescente beauté du monde. La nature qu'évoque Jaccottet est souvent volatile, imperceptible, changeante. Ici, c'est « une graine échappée aux herbes folles », un « souffle » d'air (*Leçons,* p. 24, v. 1-2) ; là, « l'écume » d'une « onduleuse vague » (*Chants d'en bas, Autres chants*, p. 60, v. 9) ou le jeu du soleil à travers des peupliers (p. 64, v. 18). Ailleurs, l'eau disparaît « dans la poussière d'un jardin » (*À la lumière d'hiver,* p. 71, v. 12-13) ; les feuilles « bougent à peine » (II, p. 85, v. 2). Souvent ce sont des impressions vite effacées ou en voie de l'être, comme les « buées de l'aube » (p. 91, v. 4) ou cette « rose le soir enflammée » (I, p. 78, v. 26).

❙ Par son désir de capter l'insaisissable

L'éphémère dure peu par définition, du moins dure-t-il fût-ce un instant. Mais comment appréhender ce qui est hors de portée et donc inconnu ? Il ne s'agit alors « ni [de] chercher ni [de] trouver » (*Chants d'en bas, Autres chants*, p. 58, v. 37), mais d'aller « loin, là où les mots se dérobent » (v. 25). Une telle quête ne peut qu'être délicate à mener, elle est toujours à reprendre, jamais achevée.

« Si c'était » en effet « quelque chose entre les choses » (*À la lumière d'hiver*, I, p. 80, v. 4) ? Comment percevoir les « chants d'en bas » ? Comment entendre, même couché face contre terre, « les pleurs de celle qui est dessous », « les pas » qui « trébuchent » dans les « froids couloirs » de la mort (*Chants d'en bas, Autres chants*, p. 61, v. 1-4) ? Même quand le poète les perçoit, il ne peut utiliser que des comparaisons qui disent la difficulté de traduire en mots ce qu'il entend, ce qu'il voit : c'est « quelque chose » qui monte de la terre « comme une lumière, par vagues, comme un Lazare surpris » (*À la lumière d'hiver*, II, p. 95, v. 1-4).

▌Par son désir de trouver la « juste voie »

Cette double quête de l'éphémère et de l'insaisissable se révèle en effet d'autant plus problématique que le poète se méfie des moyens dont il dispose pour l'entreprendre. Ces moyens sont les mots, mais pas n'importe quels mots. Ce sont des mots qui doivent permettre de s'accorder en toute transparence au monde. Ils ne doivent donc pas faire « écran » entre soi et les choses. « Y aurait-il des choses qui habitent les mots plus volontiers ? » s'interroge Jaccottet (*Chants d'en bas, Parler*, 4, p. 47, v. 1-2). Ce sont ces mots-là dont il lui faut apprendre le « juste usage » (*À la lumière d'hiver*, I, p. 82, v. 25), qui lui traceront la « juste voie » à prendre (p. 78, v. 24). Or cet apprentissage ne va pas de soi. Jaccottet doute autant du langage que de ses capacités : « J'aurais voulu parler sans images », avoue-t-il à regret (*Chants d'en bas, Parler*, 6, p. 49, v. 1). Comment, dans ces conditions, sa poésie ne serait-elle pas « précaire » ?

UNE POÉSIE MODESTE

Conscient des limites de la poésie et de ses moyens, Jaccottet pratique enfin une écriture de la brièveté, de la simplicité et de l'incertitude.

Une écriture de la brièveté

Leçons est un recueil saisissant mais mince : en tout, vingt-deux poèmes dont aucun n'excède quinze vers. Sur les huit poèmes de la première section de *Chants d'en bas,* trois (4, 6, et 8) font moins de moins de dix vers. *À la lumière d'hiver* compte un quintil (p. 97), deux sizains (p. 79 et 91), un dizain (p. 94). Tout se passe comme si la parole de Jaccottet hésitait à prendre de l'ampleur. Les nombreux blancs interstrophiques créent des silences qu'elle vient trouer par intermittences. Ce choix de la brièveté n'est pas seulement quantitatif. Il correspond à une esthétique de l'instantané, que ce soit dans l'expression d'un sentiment : « Une stupeur » (*Leçons,* p. 16, v. 1), ou dans l'évocation d'une atmosphère : « L'hiver, le soir » (*À la lumière d'hiver,* II, p. 94, v. 1). La fugacité des choses, de la lumière ou des « nuages de novembre » (p. 90, v. 1) n'en est que plus sensible. De l'aveu même du poète, ce qu'il ressent lors d'une promenade nocturne dans son jardin est « chose brève, le temps de quelques pas dehors » (I, p. 87, v. 44).

Une écriture de la simplicité

Jaccottet se refuse à toute éloquence et plus encore à toute grandiloquence, à toute emphase. Son vocabulaire n'est ni savant ni recherché ni davantage étendu. *Leçons* ne comporte que deux mots vieillis : « enfançon » (p. 15, v. 5), et « remugle » (p. 22, v. 13) qui désigne une odeur de moisi et de renfermé. Dans *Chants d'en bas,* « guéer » (*Parler,* p. 46, v. 30) est un verbe rare [= traverser à gué]. Aucun mot difficile ne se trouve dans *À la lumière d'hiver.*

Cette simplicité lexicale illustre la précarité de la poésie qui ne peut plus se réfugier dans de grands mots, pas plus que dans de grands idéaux. Le souci, majeur chez Jaccottet, d'être authentique, le pousse à retenir « des mots plus pauvres et plus justes » (*À la lumière d'hiver*, II, p. 89, v. 24).

▌Une écriture de l'incertitude

Enfin, la réalité, réconfortante ou tragique, n'est jamais directement nommée, comme si elle se dérobait ou qu'elle était trop complexe pour se laisser enfermer dans une parole définitive. Les interrogations l'emportent sur les affirmations : « N'y a-t-il pas d'autre chemin... » (*Chants d'en bas, Autres chants*, p. 57, v. 13). Les hypothèses sont fréquentes : « S'il y a un passage... » (v. 28). Les comparaisons hypothétiques sont également nombreuses : « comme si... » (*Parler*, 2, p. 44, v. 20 ; 4, p. 47, v. 7). L'emploi du conditionnel amoindrit le réel : « Toutefois on dirait que cette espèce de parole... » (*À la lumière d'hiver*, I, p. 81, v. 13-14). Quand vient une explication, celle-ci n'est jamais unique. Sur le mur d'une « chambre boisée », s'éteignent « les derniers reflets du feu » : est-ce la neige alentour qui le blanchit ou « déjà la lune » qui s'élève (II, p. 94, v. 5-10) ? Cette écriture hésitante s'interroge même sur le pouvoir des mots, ou du moins de certains d'entre eux, à « s'accorder » avec le monde (*Chants d'en bas, Parler*, 4, p. 47, v. 1-5).

La poésie de Jaccottet est donc paradoxale. Lui qui affirme qu'il est trop facile de dire que « c'est la fragilité même qui est la force » (*À la lumière d'hiver*, I, p. 77, v. 3), crée une œuvre poétique dont la puissance tient à sa « précarité » même.

9 | Une quête de la réconciliation

La mort est « déchirure » : d'avec soi, d'avec les autres, d'avec le monde extérieur (*Leçons,* p. 25, v. 1-2). Est-il possible de réparer cette « déchirure », de retisser les liens rompus ? Car comment se réconcilier avec le monde quand on le sait menacé et qu'on se sait menacé ? La question court dans les deux « livres de deuil » que sont *Leçons* et *Chants d'en bas.* Elle trouve une réponse surtout dans *À la lumière d'hiver* dont le titre associe l'espoir ou la sérénité (par le mot « lumière ») et la mort (« l'hiver »).

S'ouvrir au monde tout en se recentrant sur soi : c'est par ce double mouvement, plus complémentaire que contradictoire, qu'une réconciliation devient possible, mais par la médiation et sous l'égide de la parole poétique.

S'OUVRIR AU MONDE

L'ouverture au monde passe par la primauté accordée aux sensations. D'elles, en effet, surgit parfois une révélation qui constitue un instant de grâce.

La primauté des sensations

Aucun raisonnement, aucune démarche intellectuelle n'est à l'origine de la réconciliation avec le monde. Chez Jaccottet, tout naît au contraire de la sensation, comme le montre l'ampleur du lexique consacré aux cinq sens.

La référence à l'ouïe est fréquente : « Écoute, écoute mieux... », s'encourage-t-il (*À la lumière d'hiver,* II, p. 90, v. 8 et 11 ; p. 95, v. 1). Le verbe « voir » et ses synonymes sont récurrents : « tes yeux ne sont pas faits pour voir cela » (*Chants d'en bas, Autres chants*, p. 63, v. 1) ; « je les ai vus » (*À la lumière d'hiver*, I, p. 77, v. 2) ; « vois » (II, p. 95, v. 1). Le toucher est suggéré par la caresse d'un « souffle » ou la présence d'un corps de « soie » (p. 85, v. 17), ou par un effleurement (p. 88, v. 5). « L'eau que la peine a salée » (p. 93, v. 5), une « saveur de fruit » (*Chants d'en bas, Autres chants*, p. 60, v. 18) renvoient au goût. Quant à l'odorat, il est présent par « le parfum » de la nuit (*À la lumière d'hiver*, II, p. 86, v. 45) ou de l'« étrangère » (p. 88, v. 15). Il arrive même que par synesthésie[1] les sensations se correspondent : ainsi des expressions « laper cette lumière » (p. 90, v. 16) ou « on boit son parfum » (p. 88, v. 15).

▌Le surgissement d'une révélation

À l'origine est donc la sensation. Mais toutes les sensations n'ont pas la même importance. Seules comptent celles qui créent une surprise, qui s'imposent comme une révélation, qui provoquent un saisissement de l'être. La promenade nocturne du poète dans « l'air noir et frais » en est l'exemple le plus caractéristique. Elle devient une traversée du temps et de l'espace, un accord avec le monde extérieur. Cet accord n'est pas seulement un bien-être, c'est une union intime avec les éléments.

> [...] Je traverse
> la distance transparente, et c'est le temps
> même qui marche ainsi dans ce jardin
> (*À la lumière d'hiver*, II, p. 85, v. 4-5).

Toute frontière entre le corps du promeneur et la nature s'abolit. Il devient possible d'être « léger/comme l'ombre de l'air » (p. 86, v. 40-41). L'« aiguille du temps » peut bien continuer de courir, l'horizon de la mort s'estompe. La vie l'emporte, dont il convient de recueillir « le parfum rapide » (v. 45). Cette expérience inattendue

---

1. *Synesthésie* : association par laquelle des sensations de nature différente se répondent, s'équivalent ; exemple : une couleur (la vue) criarde (l'ouïe). Le sonnet de Baudelaire « Correspondances » dans *Les Fleurs du mal* en est l'illustration la plus parfaite.

a quelque chose de sacré, sans toutefois que ce sacré soit religieux[1]. En se retirant, la lumière du jour « révèle » « quelque chose de plus caché, mais de plus proche » (v. 20 et 27). Ce quelque chose est de l'ordre de l'indicible, mais il est profondément réel.

Un instant de grâce

Cette révélation dure le temps d'une fulgurance. Commentant avec le recul ce qu'il a vécu, Jaccottet note : « Chose brève, le temps de quelques pas dehors » (p. 87, v 46). L'« étrangère » surgit avec la même soudaineté et la même brièveté : à peine s'est-elle « glissée » qu'elle est déjà « passée » (p. 88, v. 1-5). De même, lorsqu'à la fin de *Leçons*, se sentant « enveloppé dans la chevelure de l'air » (p. 32, v.2), « je » lève les yeux pour

> un instant embrasser le cercle entier du ciel
> autour de moi, j'y crois la mort comprise
> (*Leçons*, p. 32, v. 9-10).

« Un instant » : la réintégration de la mort dans le grand cycle de la vie dont atteste cette expérience dure le temps d'un éclair.

SE RECENTRER SUR SOI

Au mouvement d'ouverture correspond un mouvement inverse d'intériorisation afin d'y conserver l'essentiel, d'y retenir la « lumière » et de pouvoir enfin réparer la déchirure.

Conserver l'essentiel

Se réconcilier avec le monde impose de se retrouver soi-même, non pour se replier sur soi mais pour conserver presque religieusement ce qui nous fait, pour garder

> Une fidélité aux seuls moments, aux seules choses
> qui descendent en nous assez bas [...]
> (*Chants d'en bas, Parler*, 7, p. 50, v. 2-3).

---

1. Sur l'athéisme de Jaccottet, voir p. 19 et 92-93.

Cette fidélité sauve les morts de l'oubli définitif. Les derniers vers du dernier poème de *Leçons* (p. 33) immobilisent dans les « cœurs » l'image du défunt : « demeure en modèle » (v. 6 et 8). De même, l'avant-dernier poème de *À la lumière d'hiver* conclut sur cette fonction essentielle de la mémoire :

> Alors, je me ressouviendrais de ce visage
> qui demeure […]
> (II, p. 96, v. 11-12).

Le souvenir ne confère certes pas l'éternité puisque celui qui se souvient mourra à son tour. Du moins ce souvenir lui aura-t-il permis de se raccorder au monde, tant des vivants que des morts.

▍Retenir la lumière

Il devient alors possible de « lever les yeux » et de regarder la lumière. Présente ou absente, celle-ci constitue un motif central de la poésie de Jaccottet. Le dernier poème de *Chants d'en bas* parle de l'existence de « trois lumières » (*Autres chants*, p. 65, v. 2) : « celle du ciel, celle qui de là-haut s'écoule en moi » et celle de la parole poétique. Le mot « lumière » figure enfin dans le titre du dernier recueil.

En effet, perceptible et immatérielle, la lumière est l'autre nom de la vie et, parfois, de l'innocence : « Recueille les oiseaux et la lumière », dit le poète à sa fille (p. 63, v. 5). Elle est ce qui repousse l'« ombre », le « noir » de la mort. Elle représente ce qui, malgré la mort, vaut la peine d'être vécu, afin qu'encore

> il soit possible d'aimer la lumière
> ou seulement de la comprendre,
> ou, simplement, encore, de la voir
> (*À la lumière d'hiver*, I, p. 72, v. 25-27).

Toujours la lumière est liée à des moments de bonheur, fussent-ils rêvés, comme lorsque d'« invisibles bêtes » viennent « laper cette lumière qui ne s'éteint pas la nuit » (*À la lumière d'hiver*, II, p. 90, v. 15-16), la lumière des rêves.

Réparer la déchirure

Accueillir les sensations, recueillir le souvenir et les « chants d'en bas » : c'est par cette double attitude que peut se refermer ce que la mort a déchiré. Jaccottet recourt à l'image du sillage qu'une « barque » laisse dans l'eau et qui se referme derrière elle (*ibid.*, I, p. 79, v. 6). C'est également ainsi que peut se refermer la cicatrice. L'unité se reconstitue : le « noir » se mêle à la lumière, la vie à la mort. Il ne subsiste ni espace ni intervalle. Le poète n'a plus besoin de « mètre dans les mains» (*ibid.*, II, p. 86, v. 43) pour mesurer ce qui n'est plus infranchissable. Sérénité et sagesse peuvent naître :

> j'avance enfin parmi les feuilles apaisées (*ibid.*, v. 39).

LA PAROLE RÉCONCILIATRICE

Ouverture et recueillement entretiennent enfin un rapport particulier au temps qui risque, tant ils sont fragiles, de les détruire. Aussi pour les sauvegarder faut-il emprunter le chemin de la parole.

Un rapport particulier au temps

La fulgurance de la sensation qui fait toute sa valeur fait aussi toute sa faiblesse. Car comment en conserver la trace ? Le motif de la lumière est tout aussi fragile. Comment en capter ou en retenir le reflet (*ibid.*, II, p. 92, v. 3-4) ? Le fugitif est par définition insaisissable. Seule l'écriture peut le fixer dans les mots et les verbes.

Jaccottet use à plusieurs reprises du futur antérieur de l'indicatif :

> tout ce qu'on *aura vu* depuis l'enfance
> (*Chants d'en bas, Parler*, 3, p. 45, v. 18) ;
> on *aura vu* aussi ces femmes… (*Autres chants*, p. 60, v. 1) ;
> où peut-être Vénus *aura paru* parfois
> (*À la lumière d'hiver*, II, p. 91, v. 3).

Ces futurs antérieurs proviennent d'un regard jeté *a posteriori* sur l'événement. Ils le maintiennent dans le passé et tout à la fois le réactualisent dans un avenir présenté comme lui-même révolu. Une continuité temporelle s'établit ainsi sans rupture ni à-coup.

De même, l'indicatif présent éternise l'instant, puisqu'il est tout autant contemporain de l'écriture (du moment où le poète écrit) que de la lecture (que j'en fais à un moment ultérieur). Lorsque Jaccottet écrit par exemple : « Aide-moi, air noir et frais... » (*ibid.*, p. 85, v. 1), sa prière s'est déjà produite ; c'est le présent de l'indicatif qui l'actualise.

▍La parole, chemin de la réconciliation

La parole poétique devient dès lors le mot de passe de la réconciliation. Sans cette parole, rien n'est possible. Dans un poème de *Chants d'en bas,* Jaccottet se demande s'il est « des choses qui habitent les mots plus volontiers » que d'autres (*Parler*, 4, p. 47, v. 1-2). C'est établir une adéquation entre le réel (les « choses ») ou du moins certains aspects du réel et le langage. L'interrogation devient affirmation quand sont évoqués

> – ces moments de bonheur qu'on retrouve dans les poèmes
> avec bonheur, une lumière qui franchit les mots
> comme en les effaçant – [...]
> (*ibid.*, v. 3-5).

Même si les mots font parfois « écran », même s'ils sont rétifs ou tracés par une main maladroite, certains d'entre eux permettent d'entrevoir la « clef dorée » qui rend le monde habitable (*À la lumière d'hiver,* I, p. 82, v. 27).

10 | Le « passage » du « visible » à l'« invisible »

Toute mort d'autrui préfigure la nôtre. Veiller un mourant conduit inéluctablement à s'interroger sur le « passage » de la vie à la mort, de l'ici-bas à un « ailleurs », du « visible » à l'« invisible ». La question est récurrente dans les trois recueils. Comment « guéer la mort [la traverser] » (*Chants d'en bas, Parler*, 3, p. 46, v. 30) ? La rareté du verbe attire l'attention. Le « passage » est en effet un thème essentiel dans l'œuvre de Jaccottet. Pour aller, « passer » vers quel « ailleurs » ? Pour l'entrapercevoir déjà sous quelles conditions ?

LE « PASSAGE » : UN THÈME ESSENTIEL

L'ampleur du champ lexical du « passage » et les multiples indices de son existence en soulignent l'intérêt.

Un vaste champ lexical

Signe de son importance, la notion de « passage » se retrouve dans les trois recueils. Son expression est des plus variées. C'est d'abord le substantif qui la traduit : « S'il y a un passage... » (*Chants d'en bas, Autres chants*, p. 58, v. 28) ou le verbe *passer* conjugué sous diverses formes (*À la lumière d'hiver*, II, p. 88-89). Le « chemin » en est un synonyme : « N'y a-t-il pas d'autre chemin... » (*Chants d'en bas, Autres chants*, p. 57, v. 12). L'image du « mur » de la mort qu'il faut « franchir » est également une variante du passage (*Leçons*, p. 20, v. 6-7). Celle du « chas » (trou d'une aiguille par où passe le fil) l'est également (p. 25, v. 7). De même, la « barque » remontant le Nil (p. 29, v. 2-3) impose l'idée d'un ultime voyage. « Ainsi s'éloigne cette barque d'os qui t'a porté », note encore Jaccottet (*Chants d'en bas, Parler*, 5, p. 48, v. 5).

Les indices de l'existence du passage

Toutefois, la richesse de ce champ lexical ne renseigne pas sur le passage en lui-même, et sur son existence. Pourquoi faudrait-il qu'il y en ait absolument un ? Le poète lui-même s'interroge : « Dos qui se voûte/pour passer sous quoi ? » (*Leçons*, p. 19, v. 12-13). Ce qui le convainc de l'existence d'un passage, ce sont les limites de ce qu'il appelle le « visible », c'est-à-dire le réel, ce qui est accessible à nos sens. Car le « visible » ne lui semble pas le tout de l'existant, puisqu'il n'explore pas la mort et qu'il n'en dit rien. Celui « qui mettrait un écran devant mes yeux ne me garderait pas [= ne m'empêcherait pas] de voir », monologue le mourant de *Leçons* (p. 20, v. 3). Autrement dit, il existe quelque chose d'autre, un « invisible », que les vivants ne perçoivent pas. « S'il y a un passage, il ne peut pas être visible » (*Chants d'en bas, Autres chants*, p 58, v. 28). Borné par la mort, le « visible » est aussi dégradé, enlaidi par elle. Elle en rend « la vue » insoutenable (*ibid.*, v. 21). Il convient de chercher ailleurs, dans ou vers l'« invisible ».

« PASSER » VERS QUEL « AILLEURS » ?

Cet « ailleurs », quel est-il ? Il ne peut, selon Jaccottet, être d'origine et nature religieuses. Il reste, presque par définition, un inconnu absolu, impossible à déterminer, mais qui émane pourtant du réel, du « visible ».

Un « ailleurs » qui n'est pas religieux

Cet « ailleurs » ne se situe dans aucun au-delà religieux :

> Aujourd'hui, je ne crois plus que l'âme en ait l'usage,
> ni d'aucun baume, ni d'aucune carte des Enfers.
>
> (*Leçons*, p. 29, v. 6-7)

L'expression « carte des Enfers » renvoie à la mythologie antique. Chez les Anciens, les morts, devenus des ombres, gagnaient les Enfers pour y être jugés. Un chien à trois têtes, du nom de Cerbère, les empêchait d'en ressortir. C'est sans doute à cet animal monstrueux que Jaccottet fait allusion quand il parle d' « un chien couleur d'ombre » (*Chants d'en bas, Autres chants*, p. 58, v. 27). Pas plus qu'aux Enfers gréco-romains, le poète ne croit au paradis du christianisme ou de toute autre religion. Son athéisme est radical. Les « dieux » sont pour lui des « fuyards » « muets, aveugles » (*À la lumière d'hiver*, II, p. 93, v. 7-8). Il n'y a rien à attendre ni à espérer d'eux. Contrairement aux oiseaux, on ne vit pas longtemps « dans l'évidence du ciel » (*Chants d'en bas, Parler*, 6, p. 49, v. 5-6). La mort n'est pas « une autre naissance » à un quelconque au-delà (*Leçons*, p. 25, v. 6).

Un « ailleurs » impossible à déterminer

Vers quoi dès lors *passe*-t-on ? Quel est cet « invisible » ? Jaccottet ne prétend pas le savoir. Cet « ailleurs » est en effet impossible à imaginer. S'il est « un lieu », il est « hors de toute distance », « hors des mesures » possibles et connues (*Leçons*, p. 17, v. 4 et 8). Il appartient à des « astres encore inconnus » (p. 18, v. 2). Étant nulle part, n'étant pas du moins dans un endroit localisable, il peut donc être partout. Un mort conserve-t-il dans sa tombe « encore une espèce d'être » ? L'« ailleurs » serait-il alors « dans cet enclos » ? « Comment savoir » (p. 30, v. 1-5) ? Ou bien « invisible habitant l'invisible », le mort serait-il dans « un autre espace » (p. 17, v. 7) ? Ce qui est certain, c'est que « s'il y a un mot de passe » pour y accéder, « ce ne peut être un mot/qu'il suffirait d'inscrire » comme « une clause d'assurance » (*Chants d'en bas, Autres chants*, p. 58, v. 33-34).

Un « ailleurs » qui émane du réel

S'il n'est pas dans le « visible » et pas davantage au-delà de lui, où tenter malgré tout de situer l'« invisible » ? Pour cela, Jaccottet a fabriqué le néologisme d'« entrevision ». Apparu dans l'un de ses recueils intitulé *Promenade sous les arbres,* le mot ne figure certes dans aucun des trois recueils. Mais sa notion y très présente : c'est celle, capitale, de l'intervalle :

> Si c'était quelque chose entre les choses, comme
> L'espace entre tilleul et laurier [...]
> (*À la lumière d'hiver,* I, p. 80, v. 4-5).

Tout se joue là : entre la réalité et le rêve (*Chants d'en bas, Autres chants,* p. 60, v. 1), entre la lumière et la nuit (*À la lumière d'hiver,* II, p. 86, v. 20, 29-30), dans la terre « tombe et déjà berceau des herbes » (p. 90, v. 5-6). L'« invisible » réside dans les interstices du réel. C'est là que doit se trouver le « passage ».

ENTREVOIR L'INVISIBLE

Cet « invisible » sur lequel débouche le « passage » peut dès maintenant s'entrevoir, mais à trois conditions : se libérer du passé, guetter des signes, explorer le langage.

▌En se libérant du passé

La première condition est de ne pas se laisser écraser par le poids des souvenirs, de ne pas se « retourner sur [ses] traces » (*Chants d'en bas, Autres chants,* p. 58, v. 39). Par deux fois, Jaccottet rapporte certes quelques-uns de ses souvenirs d'enfance sous forme de brèves notations, toujours imprimées en italique (*Parler,* 3, p. 46, v. 20-27 ; *Autres chants,* p. 58, v. 40-41). Mais c'est pour aussitôt prendre ses distances avec eux. Se souvenir c'est en effet mesurer le temps parcouru, lequel vient en déduction du temps qui reste à parcourir ; c'est donc réintroduire la mort à l'horizon. Comment, alors, échapper à ses souvenirs ? Il faut essayer de le faire sous peine d'être « vaincu avant le temps », de « dépérir dans la sagesse radoteuse » (*Autres chants,* p. 57, v. 14-15). Même si c'est de plus en plus difficile à mesure que l'on vieillit, et parfois presque impossible : qui peut « redresser avec de l'invisible chaque jour » (p. 59, v. 46-47) ? « J'essaie », dit humblement le poète.

En guettant les signes

La seconde condition est, quand on est désenglué du passé, de guetter certains signes, avec d'autant plus d'attention qu'ils peuvent surgir et disparaître en un éclair. Émanant de l'« invisible », ces signes sont forcément immatériels. Les saisir suppose donc une certaine disposition d'esprit, une certaine qualité d'écoute. C'est voir que la lumière du jour qui se retire « révèle » « autre chose de plus caché, de plus profond » (*À la lumière d'hiver,* II, p. 86, v. 20-27). C'est voir, mieux peut-être que le laboureur, « une herbe autre que l'herbe » (p. 91, v. 6). Rien n'est plus significatif à cet égard que la référence non pas à Lazare[1], le premier homme ressuscité d'entre les morts selon la Bible, mais à « quelque chose [...] comme *un* Lazare » (p. 95, v. 1-3). L'introduction de l'article indéfini « un » interdit toute assimilation précise. Le poème est le point de rencontre de deux mouvements, l'un ascendant, l'autre descendant, du « visible » (qui monte) et de l'« invisible » (qui descend). Ce « quelque chose », c'est « comme une lumière ». C'est l'interstice par où « passer ».

En explorant le langage

Si le poème est cet interstice, c'est que les mots ont un rôle à jouer dans la définition et la représentation de ce « passage ». Non pas à cause de leur fonction utilitaire ou sociale, mais en raison de leur pouvoir de suggestion, d'association, de création ou d'exploration de l'inconnu. D'ailleurs eux-mêmes sont parfois un mystère :

> Les mots devraient-ils donc faire sentir
> ce qu'ils n'atteignent pas, qui leur échappe,
> dont ils ne sont pas maîtres, leur envers ?
> (*À la lumière d'hiver,* I, p. 82, v. 20-22)

En s'interrogeant ainsi, le poète assigne aux mots une mission très particulière. À leurs fonctions traditionnelles de dénotation

---

1. Sur Lazare, voir plus haut, p. 41.

(désignation) et de connotation (suggestion), il en ajoute une nouvelle : celle de dire ce qui leur échappe, de dire en quelque sorte
l'indicible, l'inconcevable. C'est pourquoi il convient de chercher
jusque-là où les mots se dérobent (*Chants d'en bas, Autres
chants*, p. 58, v. 25). C'est donc en définitive la poésie qui est le
lieu, sinon unique, du moins privilégié, du « passage ». C'est le
poème qui conduit aux frontières du « visible » et de « l'invisible ».

La poésie de Jaccottet offre donc quelque chose de paradoxal.
Elle est une quête du sacré sans jamais être une quête du divin.
Elle s'attache au réel pour se tenir à son extrême pointe, à son
ultime frontière. Elle nie tout mystère pour le réintroduire. Elle est
interrogation sur un ailleurs tout en restant ici-bas. C'est une poésie qui est en perpétuelle tension.

11 | Les images de la femme

Absente de *Leçons*, la femme occupe une place quantitative-ment restreinte mais néanmoins prépondérante dans *Chants d'en bas* et dans *À la lumière d'hiver*. Si ses visages sont multiples, la femme est toujours, quelle que soient ses apparences, un être désiré, qui assume un rôle essentiel.

DES VISAGES MULTIPLES

La femme est présentée de trois façons : sous les traits suc-cessifs d'une figure maternelle, d'une figure ancillaire[1] et d'une figure indistincte.

Une figure maternelle

La représentation de la mère sur son lit de mort ouvre le recueil de *Chants d'en bas* (p. 37). Bien que la gisante y soit anonyme, on sait par une confidence de Jaccottet et par l'examen de la première version du texte qu'il s'agit de sa propre mère. Celle-ci fait l'objet d'un phénomène de pétrification : elle est « déjà » « sa propre pierre » (*ibid.*, v. 11) funéraire.

Volontairement dénuée de toute identité (« pas de nom », *ibid.*, v. 13), elle n'en demeure pas moins dans « l'aubier[2] du cœur » (*ibid.*, v. 14) de son fils. Le souvenir qu'elle y laisse se teinte de regret, peut-être de remords. Cette « pierre » fut « mal aimée »,

---

1. *Ancillaire* : du latin *ancilla*, « servante » ; se dit d'amours, de liaisons avec une domestique.
2. *Aubier* : partie la plus tendre d'un arbre, entre l'écorce et le bois dur.

reconnaît le poète. C'est l'aveu d'une incompréhension, ou d'une blessure qui ne s'est pas refermée :

> « Ainsi s'éloigne cette barque d'os qui t'a porté »
> (*Chants d'en bas*, *Parler*, 5, p. 48, v. 5).

L'image de la « barque d'os » renvoie au ventre maternel portant son enfant. La voyant définitivement s'éloigner, le poète lui souhaite une navigation paisible dans une « rémission [= pardon] des peines » (*ibid.*, v. 12) que mère et fils se sont infligées. Chez Jaccottet, la pudeur des mots n'exclut pas l'intensité émotionnelle.

Une figure ancillaire

L'image de la « servante » surgit deux fois : dans *Chants d'en bas* (*Autres chants*, p. 58) et dans *À la lumière d'hiver* (II, p. 85). Une lampe à la main que la flamme rosit, la « servante » précède l'« hôte » qu'elle guide jusqu'à une « porte » qui s'ouvre sur une chambre. La scène est discrètement érotique. Elle l'est davantage dans l'évocation des « servantes si dociles de nos rêves » (v. 10-11) et du « voile » qui tombe « autour de beaux pieds nus » (v. 13-15). Précédant ou attendant l'hôte, la « servante », déshabillée, est une initiatrice amoureuse.

Des figures indistinctes

Toutes les femmes ne présentent pas cette particularité. Sans nom ni fonction, elles sont plurielles : « On aura vu aussi ces femmes… » (*Chants d'en bas*, *Autres chants*, p. 60, v. 1). « Plus nombreux que les feuilles d'arbres en été » (p. 61, v. 6-7), leurs visages se superposent. Deux d'entre elles échappent cependant à l'anonymat le plus complet – encore est-ce de peu. Il s'agit de « la femme d'ébène et de cristal », de « la grande femme de soie noire » (*À la lumière d'hiver,* II, p. 85, v. 1-17). Est-ce la même que l'« étrangère » à laquelle fait allusion un autre poème (p. 88, v. 1) ? Elle aussi est toute de « soie noire » (v. 6).

Toujours est-il que dans les deux cas, elles sont associées à des fantasmes révolus ou inassouvis, comme l'indiquent le futur antérieur « on aura vu » et les « yeux peut-être éteints depuis longtemps » (p. 85, v. 19).

UN ÊTRE DÉSIRÉ

Quels que soient les traits sous lesquels elle est dépeinte, la femme est une séductrice, une proie, paradoxalement à jamais inaccessible.

La femme séductrice

La femme suscite et provoque le désir. Par sa parure d'abord de « boucles » et de « dentelles » (*Chants d'en bas, Autres chants*, p. 60, v. 8 ; *À la lumière d'hiver*, II, p. 88, v. 2). Par son physique ensuite : « grande » est la « femme d'ébène » (p. 85, v. 17) ; sa peau est de « soie » (p. 85, v. 18 ; p. 88, v. 6) ; son corps est souple (p. 88, v. 10) et sa chevelure ondule (v. 6). Ses yeux sont tour à tour « tendres » (*Chants d'en bas, Autres chants*, p. 60, v. 4), énigmatiques (*À la lumière d'hiver*, II, p. 85, v. 18-19) ou semblables à des « perles » (p. 88, v. 3). Toujours elle possède l'éclat du « cristal » (p. 85, v. 17). Avec ses « fermoirs d'or », elle devient la « reine du bal » (p. 86, v. 25-26).

La femme proie

Mais ce « bal » n'est qu'une illusion ou qu'un rêve : nul n'y « fut jamais convié » (p. 86, v. 25). Les atours de la séduction dissimulent une réalité brutale et ancienne. Car le désir sexuel transforme l'homme en « chasseur » et la femme en proie. La métamorphose de celle-ci en « jument », en « fauve souple » (*Chants d'en bas, Autres chants*, p. 60, v. 3 et 10) illustre le thème de la chasse érotique.

Ces images animalières n'ont rien de péjoratif. Elles reconstituent et réactualisent une scène primitive et immémoriale : celle de la violence d'Éros[1]. La comparaison avec la chasse suggère par ailleurs que le désir est quête et poursuite. C'est le contraire de la vulgaire consommation sexuelle, de cette « viande offerte à ces nouveaux étals de toile, bon marché, quotidienne » (*ibid.*, v. 5-6). Les mots sont crus, grossiers. Le chasseur et sa proie possèdent, eux, davantage de beauté.

La femme à jamais inaccessible

Même quand le chasseur possède sa proie, il n'en est pas pour autant le maître. Car la femme lui échappe à l'instant même où elle paraît vaincue. Le « mieux armé » ne saurait l'atteindre « parce qu'elle est cachée plus profond dans son propre corps » (*ibid.*, p. 61, v. 12). « Sans relâche poursuivie » (*À la lumière d'hiver*, II, p. 86, v. 24), elle reste ainsi un mystère connu d'elle seule « parce qu'elle est seulement comme le seuil/de son propre jardin » (*Chants d'en bas, Autres chants*, p. 60, v. 14-15). Elle est « l'animale sœur qui se dérobe et se devine » (v. 7). Cette dernière formule souligne les limites de la chasse. Le mot « sœur » fait peser sur la femme l'ombre d'un interdit. Cet interdit n'est pas moral car il ne s'agit évidemment pas d'un inceste. Mais il est d'ordre affectif et cognitif : toute connaissance absolue et intime est impossible.

UN RÔLE ESSENTIEL

Tout en demeurant inaccessible, la femme n'en assume pas moins des fonctions essentielles dans la poésie de Jaccottet. Elle est en effet tour à tour inspiratrice, médiatrice et réconciliatrice.

---

1. *Éros* : dieu grec de l'amour ; sur sa lutte avec Thanatos, le dieu de la mort, voir plus haut, p. 30.

Une inspiratrice

Cette irréductible « étrangère » qu'est la femme remplit le rôle d'une muse, mais d'une muse très particulière. Le poète ignore en effet son « nom » mais « boit son parfum, son haleine et, si elle parle, son murmure » (*À la lumière d'hiver*, II, p. 88, v. 15-16). Elle est celle qui « passe » (le verbe *passer* est d'ailleurs celui qui revient le plus souvent pour la caractériser). Mais cette passante que le poète ne rejoindra pas « plus que les autres » (v. 9) lui permet d'écrire, de renouer avec la poésie, de reprendre « la page avec des mots plus pauvres et plus justes » (p. 89, v. 24). Les deux adjectifs sont importants : le premier condamne les grands mots et les effets rhétoriques ; le second se veut une approche la plus exacte possible du mystère que Jaccottet entend saisir.

Une médiatrice

Car le poète ne se résigne pas à ce que la rupture entre les vivants et les morts soit définitive. Pour être inéluctable (p. 92, v. 11-15), est-elle irrémédiable ? Jaccottet ne le pense pas. Lui qui a déclaré que « toute poésie est la voix donnée à la mort » (*La Semaison*, 1971) reste convaincu qu'il est possible de tisser un lien, même ténu avec les morts. Or, ce lien, c'est la femme qui le tisse. Quand il se couche contre la terre, le poète se demande en effet s'il entendra les « pleurs » non pas de celui, mais de « celle qui est dessous » (*Chants d'en bas*, *Autres chants*, p. 61, v. 1-2). Certes, il s'agit en l'occurrence de sa mère. Mais le poème procède progressivement à une généralisation. « Moi aussi », dit-il, « j'ai langui après des corps » (*Parler*, 7, p. 50, v. 13). Et il se souvient de « bouches inlassables » (v. 16). C'est pour conclure :

> tout cela maintenant pour moi est sous la terre
> et mon oreille collée à l'herbe l'entend (*ibid.*, v. 17-18).

Le « chant d'en bas » semble ainsi posséder une voix exclusivement féminine. C'est par la femme, par le désir et les fantasmes qu'elle suscite, que peut s'instaurer un lien entre les deux mondes.

Une réconciliatrice

Aussi n'est-il pas étonnant que l'apaisement auquel le poète parvient après le temps du deuil prenne une forme également féminine. Se promenant la nuit dans son jardin, il a la révélation, presque l'illumination que le « noir n'est plus ce mur/encrassé par la suie du jour » (*À la lumière d'hiver*, II, p. 86, v. 36-37). En réintégrant la mort dans le vaste cycle de la vie, le poète se sent renaître, participer à quelque chose de plus vaste que son corps. Tous ses sens retrouvent leur acuité. La vue, l'ouïe, le toucher, l'odorat, le goût s'unissent pour abolir toute frontière entre soi et le monde, pour faire corps avec l'extérieur.

Or, la nuit, encore associée à la mort dans *Leçons* (p. 20, v. 9), est personnifiée. L'« air noir », qui est un masculin, « découvre la femme d'ébène » (*À la lumière d'hiver*, II, p. 85, v. 16). La réconciliation du poète et du monde s'opère donc au féminin. La « soie noire » (p. 88, v. 6) est l'image d'une peau érotisée. C'est ainsi que de « la terre » monte « quelque chose » et que descend « de plus loin que le ciel » quelque chose d'autre, pour courir l'un vers l'autre « à la manière des rencontres d'amour » (p. 95, v. 1-11).

> Ah pense-le, quoi qu'il en soit, dis-le,
> dis que cela peut être vu
> (*ibid.*, v. 13-14).

Sans la femme pas d'harmonie possible.

12 | La poésie de la nature

Peu présente dans *Leçons,* la nature l'est nettement plus dans *Chants d'en bas* et *À la lumière d'hiver.* Si elle est l'objet d'une évocation paisible, elle est surtout poétiquement recréée par le regard et l'imagination de Jaccottet.

UNE ÉVOCATION PAISIBLE DE LA NATURE

La poésie de Jaccottet ignore les grands espaces sauvages : pas de vastes étendues chez lui ni d'épaisses forêts impénétrables. La nature y est familière, bienveillante et changeante selon les saisons.

Une nature familière

La nature est domestiquée. Le mourant de *Leçons* a « toujours aimé son clos, ses murs » (p. 16, v. 7). Le mot « clos », dérivé d'enclos, évoque un espace cultivé, protecteur. Le poète conserve de son enfance le souvenir d'un « jardin » et de son « mur d'espaliers[1] » (*Chants d'en bas, Parler,* 3, p. 46, v. 25). Et c'est encore dans « un jardin » qu'il renaît à la vie et qu'il se réconcilie avec le monde (*À la lumière d'hiver,* II, p. 85-87).

Parfois un paysage de « collines » et de « montagnes » se découvre en arrière-plan. Des « nuages » les survolent ou s'accrochent à leur sommet (*Leçons,* p. 12, v. 1-2) ; *À la lumière d'hiver,* I, p. 71, v. 17-18). Ces montagnes semblent « couv[er] au loin » « raisins et figues » (*Leçons,* p. 12, v. 1-3). De tels panoramas

---

1. Mur le long duquel on a planté des arbres fruitiers.

n'ont rien d'inquiétant. Ils font penser à ceux de la Suisse natale de Jaccottet ou à ceux de sa Drôme d'adoption[1].

Une nature bienveillante

Soumise à l'homme, cette nature est tout à la fois nourricière et accueillante. Elle est pleine de lourds « figuiers » (*Leçons*, p. 31, v. 6), de « fleurs », d'« oiseaux » et de « fruits » (*À la lumière d'hiver*, I, p. 77, v. 1). L'eau y serpente, toujours limpide ou « transparente » (p. 78, v. 18). À deux reprises, Jaccottet semble minimiser l'importance de cette poésie pastorale [= champêtre] : « sans doute, sans doute », dit-il après avoir évoqué « raisins et figues » (*Leçons*, p. 12, v. 4) ; « c'est vrai, je les ai conviés », ajoute-t-il pour regretter d'avoir parlé des fleurs et des fruits (*À la lumière d'hiver*, I, p. 77, v. 1-5). Mais il convient de ne pas se tromper sur le sens de ses réticences. Ce n'est pas que la nature manque soudain d'intérêt à ses yeux, c'est que face à la mort tout chant, même celui de la beauté du monde, devient dérisoire[2].

Une nature changeante selon les saisons

Images du temps qui passe ainsi que du cycle de la vie, les saisons modifient la perception des paysages. *Chants d'en bas* fait allusion aux « premières tiédeurs » d'« avril », à la rosée des matins quand « chaque arbre se change en source » (*Parler*, 3, p. 45, v. 3-4). *À la lumière d'hiver* campe un paysage d'automne avec ses « nuages de novembre », ses « routes désertes » et sa campagne dénudée (II, p. 90, v. 1-5). « L'hiver, le soir », ce sont les reflets de la neige (II, p. 94, v. 1-7). Voici revenir « mars », « la boue et les buées de l'aube » (II, p. 91, v. 4-5), la promesse d'une germination nouvelle, la fin du travail de deuil tant pour le poète que pour la nature. C'est enfin le retour du mois d'août et des jeux amoureux (*Leçons*, p 31, v. 7-8).

---

1. Sur la Drôme où Jaccottet a choisi d'habiter, voir plus haut p. 8.
2. Sur les limites du langage poétique, voir plus haut, p. 73.

UNE RECRÉATION POÉTIQUE

Ces paysages ne font jamais l'objet d'une froide description. Au contraire, le regard qui les contemple les recrée. Jaccottet a une approche picturale de la nature, qu'il considère comme un répertoire d'images.

▌Une approche picturale

Jaccottet est sensible aux couleurs de la nature. Il les saisit tel un peintre. Les « sombres » nuages de novembre accrochent ainsi aux montagnes comme des « plumes blanches » (*À la lumière d'hiver*, II, p. 90, v. 3). Un soir d'hiver, sur le mur de la chambre où meurent les « derniers reflets » d'un feu, le pâle scintillement de la neige se mêle à la lueur de la lune (p. 94). La nuit n'est jamais l'obscurité totale. Elle est plutôt un clair-obscur. La « lumière du jour » se retire progressivement (I, p. 85, v. 12 et 20), les « couleurs », personnifiées, « ferment les yeux » (v. 29). Alors s'étend l'air « noir », mais traversé par tout un champ lexical de la brillance : il y est fait mention d'« étoiles » (v. 6-7), de « regards » (v. 18), d'« air limpide » (v. 38), d'une « aiguille du temps » qui « brille » (v. 42). Tout n'est pas pour autant jeu d'ombre et de lumière. Le vert de l'herbe est aussi celui des années heureuses (*Leçons*, p. 16, v. 6 ; *À la lumière d'hiver*, II, p. 90, v. 6). Les rayons du soleil jouent à travers des peupliers et sur les flancs des montagnes (p. 64, v. 18).

▌Un répertoire d'images

En outre, pour Jaccottet, les paysages sont un lieu poétique. Métaphores et comparaisons les personnifient, tandis que dans un mouvement inverse les êtres humains empruntent leurs caractéristiques à la nature. Pour suggérer la fragilité et la grâce de sa fille, le poète la dit « pareille à un tremble scintillant » (p. 63, v. 7). Les feuilles qui « bougent à peine » deviennent en revanche des « pensées d'enfants endormis » (*À la lumière d'hiver*, II, p. 85, v. 2-3). Les visages que le poète conserve en mémoire sont « plus

nombreux que les feuilles d'arbres en été » (*Chants d'en bas,*
Autres chants, p. 61, v. 7).

Les nuages, quant à eux, sont des « oiseaux » qui traînent
« par bandes » dans le ciel (*À la lumière d'hiver,* II, p. 90, v. 1).
La nuit se change en une « femme d'ébène et de cristal », en
« une grande femme de soie noire » (p. 85, v. 16-17). Ou bien elle
« semble ruisseler de voix comme une grotte » (*Chants d'en bas,*
Parler, 3, p. 45, v. 5). Quand on sent monter en soi le bonheur
de vivre, c'est comme « l'ivresse d'avoir bu au verre fragile de
l'aube » (v. 11).

Quand elle n'est pas un élément concret du paysage, la montagne devient la forme de l'angoisse et de la souffrance. Le décès
prochain de l'agonisant est ainsi comparé à « une montagne en
surplomb » (*Leçons,* p. 21, v. 2). Sa mort est « une montagne sur
nous écroulée » (p. 23, v. 2).

Recréée par la sensibilité et le langage, la nature devient plus
vivante. Elle n'est pas un simple décor. Elle est une extension de
l'être, tout comme l'être est l'un de ses constituants.

13 La poétique des éléments

Les éléments – le feu, la terre, l'air et l'eau – occupent une place importante dans la poésie de Jaccottet. S'ils sont parfois évoqués ou décrits pour eux-mêmes, ils sont surtout porteurs de connotations et d'associations d'idées, ils sont créateurs d'images. Ils participent à ce titre à la construction et au fonctionnement du poème. Leur étude relève donc de la poétique, qui est l'analyse des procédés entrant dans l'élaboration d'un texte (quel que soit d'ailleurs le genre littéraire auquel ce texte appartienne).

LE FEU

Des évocations rares

En tant que tel, le feu est peu présent. Ses « derniers reflets » concourent, dans *À la lumière d'hiver* (II, p. 94, v. 5), à la création d'une atmosphère paisible. Ailleurs, sous la forme d'un coucher de soleil, il colore un paysage, en « enflamm[ant] » « une rose » (I, p. 78, v. 26).

Un poème de *Chants d'en bas* (*Parler*, 2, p. 43, v. 2) est toutefois presque intégralement consacré au feu. Il y est qualifié de « matière à poème » (v. 15) tant sa beauté peut fasciner, même lorsqu'il détruit. Mais il n'est valorisé que pour établir un violent contraste avec la mort. Comme le feu, la mort détruit, mais elle est « pire » (v. 24) que lui, car elle « ne peut s'apprivoiser en images » (v. 29).

Des associations ponctuelles

Plus souvent, le feu est synonyme de vie. C'est l'image de la « flamme ». Avec la mort, celle-ci s'éteint. Le mourant de *Leçons* est ainsi comparé à une « cire qui perdait sa flamme » (p. 25, v. 12). De même, la morte de *Chants d'en bas* est « comme son propre cierge, éteint » (p. 37, v. 3). Jaccottet use également de l'association, traditionnelle depuis le XVIIe siècle, du feu et du désir amoureux qui embrase le corps sans pour autant « vous brûler » (*Parler*, 2, p. 43, v. 13 et 19). Une seule fois, dans le monologue que le poète prête au mourant (*Leçons*, p. 20), le feu renvoie à la douleur, en même temps qu'à son contraire, le « froid » (v. 5). C'est une manière de traduire différents états de souffrance.

LA TERRE

Son évocation

La terre est un lieu paradoxal. Sa surface dessine la frontière qui, physiquement, sépare les vivants des morts :

> Si je me couche contre la terre, entendrai-je
> Les pleurs de celle qui est dessous [...] ?
> (*Chants d'en bas, Autres chants*, p. 61, v. 1-2)

Elle est ensevelissement du cadavre puis, avec le temps, de la tombe elle-même, quand les « pierres » s'enfoncent à leur tour dans « les herbes éternelles » (*Leçons*, p. 30, v. 9-10).

Mais, si elle est le lieu de la sépulture, elle est aussi le lieu de la germination, de l'ensemencement. Elle est un « berceau » (*Leçons*, p. 31, v. 5 ; *À la lumière d'hiver*, II, p. 91, v. 6) : celui de « graines » qui, après l'hiver, lèveront en « mars » (p. 91, v. 5).

Un support d'images

L'évocation de la terre construit, plus particulièrement, deux images puissantes. Pour exprimer l'intensité du choc ressenti devant l'agonie d'un être cher, Jaccottet recourt à l'image du séisme :

> La terre qui nous portait tremble
> (*Leçons*, p. 15, v. 11).

On ne peut mieux traduire le profond vacillement affectif que provoque l'agonie.

Dérivée de sa fonction sépulcrale, la terre devient enfin une mystérieuse habitation, celle, invisible, des morts. Le lieu se transforme en présence. « Quelque chose » monte « de la terre, de beaucoup plus bas » encore, comme « un Lazare[1] » (*À la lumière d'hiver*, II, p. 95, v. 1-3). Les morts ne sont pas définitivement morts, si l'on sait du moins entendre leurs « chants », leurs « chants d'en bas ». C'est pourquoi une autre germination que celle, naturelle, des « graines », peut « dans l'invisible terre » faire « germer un blé inépuisable » (p. 93, v. 11-12), faire « croître » « une herbe autre que l'herbe » (p. 91, v. 5-6).

L'AIR

▌Ses références

L'air est très présent dans les trois recueils. Dans *Leçons*, c'est, par exemple, le « vent du matin » (p. 26, v. 2) ou une « chevelure » d'air (p. 32, v. 2) prise dans la « cascade céleste » (v. 1). Il réapparaît dans *Chants d'en bas*, dans l'image du « chasseur » qui « marche contre le vent » (*Parler*, 8, p. 51, v. 6). C'est « l'air froid sur les yeux et la bouche » (*À la lumière d'hiver*, I, p. 80, v. 6) qui pousse les « nuages de novembre » (II, p. 90, v. 1) ou « l'air noir et frais » respiré lors d'une promenade nocturne (II, p. 85, v. 1).

---

1. Sur Lazare, voir plus haut, p. 41.

De nombreuses associations

L'air est surtout un des éléments avec lequel Jaccottet joue le plus pour multiplier images et connotations. Comme le feu, mais plus encore que celui-ci, l'air est un principe vital. L'homme est un « souffle » et l'air est sa définition : l'homme est « un nœud d'air » (*Leçons*, p. 23, v. 5), « un nœud léger de l'air » (p. 24, v. 1) et même « un hasard aérien » (p. 27, v. 5).

L'air est par ailleurs associé à l'espace, et cet espace est celui de la liberté et de l'innocence. Les oiseaux, souvent mentionnés, en font leur domaine. Ils symbolisent un désir d'envol, de légèreté qui est au cœur de chaque homme quand il rêve de « se vêtir d'air comme les oiseaux et les saints » (*À la lumière d'hiver*, I, p. 77, v. 8).

Certes ce rêve est éphémère, c'est même une illusion car, contrairement aux oiseaux, « on ne vit pas longtemps dans l'évidence du ciel » (*Chants d'en bas, Parler*, 6, p. 49, v. 5-6). Il faut « retomber » à terre. Principe de vie, l'air est aussi nostalgie.

L'EAU

Ses significations

Comme l'air, l'eau revêt plusieurs significations, parfois opposées. Quand elle court « entre les herbes » (*Leçons*, p. 13, v. 10-11), elle est symbole de vie. Les « rivières transparentes » (*À la lumière d'hiver*, I, p. 78, v. 19) renvoient au monde perdu de la pureté et de l'innocence. À l'inverse, l'eau évoque très souvent la mort quand elle « s'enfonce dans la poussière du jardin » (I, p. 71, v. 13). La référence au Nil est une allusion au rite funéraire de l'ancienne Égypte quand les barques royales remontaient le fleuve pour conduire le pharaon à sa dernière demeure (*Leçons*, I, p. 48, v. 5).

Sa double valeur, vitale et létale, explique que l'eau soit à la fois « amère » et « douce à boire » (*À la lumière d'hiver*, II, p. 92, v. 16-17).

Ses connotations et images

Les images que convoque l'eau sont nombreuses. Son écoulement figure le temps qui passe. Sur elle glisse « toute vieille barque humaine » (*Chants d'en bas*, *Parler*, 5, p. 48, v. 11). Dans ces conditions, le squelette devient logiquement une « barque d'os » (v. 5). À mesure que le temps passe, le crâne se change, lui, en une « cruche d'os » (*À la lumière d'hiver*, II, p. 92, v. 14) de moins en moins apte à contenir et conserver l'eau de la vie.

L'eau peut aussi symboliser la souffrance quand elle se change en larmes. Le motif est récurrent. Il surgit dans *Leçons* quand ceux qui veillent le mourant sont « bourrés de larmes, tous, le front contre le mur » (p. 23, v. 7). Il réapparaît par trois fois dans *Chants d'en bas* : dans la possession érotique (*Autres chants*, p. 60, v. 19), dans les pleurs de celle qui est « dessous » (p. 62, v. 22), et quand, devant la souffrance d'autrui, la « pitié noie tout, brillant d'autant de larmes que la nuit » (p. 65, v. 11-12). Les yeux embués deviennent enfin comme de « la brume sur des lacs » (*À la lumière d'hiver*, II, p. 93, v. 3) ; c'est une « eau que la peine a salée » (v. 5).

L'eau offre toutefois des connotations plus positives. Courant à travers les herbes, elle est la force et l'agilité (*Leçons*, p. 12, v. 11). Quand elle se tranforme en neige, elle devient un manteau protégeant « le sommeil des graines » (*À la lumière d'hiver*, II, p. 96, v. 5).

L'eau est surtout celle, « invisible », des rêves (p. 90, v. 12), que peut-être « l'on ne boira jamais » (p. 92, v. 8), mais qui, seule, permet de continuer à vivre.

14 | Un nouveau lyrisme

L'omniprésence dans les trois recueils d'un « je » poétique soulève la question du lyrisme. Cette question est d'autant plus délicate à aborder que, s'agissant de la poésie moderne, le lyrisme a évolué dans sa nature et dans ses formes.

Comme d'autres poètes contemporains, Jaccottet rejette en effet les conceptions traditionnelles du lyrisme pour en donner une définition nouvelle et paradoxale.

LE REJET DU LYRISME TRADITIONNEL

Le lyrisme tel que le concevaient par exemple les poètes romantiques du XIXᵉ siècle se caractérise par une large place accordée à l'autobiographie, à l'analyse complaisante de soi, ainsi que par une forte expressivité. Ce sont autant de composantes absentes de la poésie de Jaccottet.

Le refus de l'autobiographie

Le lyrisme romantique était d'abord et avant tout une exaltation du « moi ». Victor Hugo, Lamartine ou Musset ont ainsi mis en scène leur existence. Jaccottet s'attache au contraire à effacer de son œuvre toute trace de la sienne.

C'est par une de ses confidences, extérieure par conséquent à ses poèmes, que l'on sait que le mourant de *Leçons* – ce « il » jamais nommé – est son beau-père. Et il faut savoir que celui-ci exerçait le métier d'imprimeur pour comprendre l'allusion au

« plomb[1] » (*Leçons*, p. 9, v. 2). Le premier poème du recueil évoque certes un « moi » (p. 11, v. 2-5), mais ce « moi » est celui du poète, non celui de l'écrivain en tant que personne privée[2].

De même, c'est une autre confidence de Jaccottet qui autorise à identifier la gisante de *Chants d'en bas* (p. 37) à sa propre mère. La « barque d'os qui t'a porté» (*Parler*, p. 48, 5, v. 5) renvoie bien à une figure maternelle mais qui, n'étant pas personnalisée, peut être n'importe quelle figure maternelle.

Le refus d'une complaisante analyse de soi

Jaccottet ne fait pas davantage étalage de ses émois et souffrances. Les thèmes du rêve, de la fuite du temps et de la mort qu'il orchestre dans ses trois recueils appartiennent certes à l'héritage lyrique. Mais aucun d'eux n'est porté par un « je » introverti ou narcissique[3]. Le « je » est souvent un « nous » (par exemple dans *Leçons*, p. 17, 19, 21, 23), ou bien il s'efface devant le pronom indéfini « on ». L'un des poèmes les plus déchirants de *Leçons* débute par ce vers (p. 22) :

On peut nommer cela horreur, ordure.

Ou encore :

Oh mes amis d'un temps, que devenons-nous [...]
(*Chants d'en bas, Autres chants*, p. 57, v. 1).

Ce dernier vers, dont la tonalité est si anciennement lyrique[4], peut se comprendre en dehors de tout contexte biographique.

Le refus d'une forte expressivité

Enfin, du lyrisme traditionnel, la poésie de Jaccottet ignore l'emphase.

---

1. Sur cette allusion, voir plus haut p. 13.
2. Pas plus que dans un roman on ne confond l'auteur (du livre) avec l'homme privé qu'il est par ailleurs, ni avec le narrateur (qui prend en charge la narration), on ne confond le « je » du poète avec l'auteur.
3. Est *introvertie* ou *narcissique* toute personne attentive à la contemplation de son « moi ».
4 Sur l'allusion à Rutebeuf que contient ce vers, voir plus haut p. 79.

Chez lui, pas de grandiloquence[1] ni de longues périodes oratoires (= longues phrases rythmées). Il répugne au contraire à devenir un « sentencieux phraseur » (*Chants d'en bas*, p. 53, v. 2). Ses vers sont brefs, parfois réduits à un ou deux mots. Son vocabulaire est simple. Partisan d'une esthétique de la brièveté, il privilégie les notations succinctes[2]. *Parler*, la première partie de *Chants d'en bas*, contient des textes qui possèdent la rigueur mais aussi la sècheresse d'une argumentation, aux antipodes de la subjectivité lyrique. Le premier poème possède une armature logique si marquée qu'il s'apparente à un raisonnement quasi scientifique : « Parler est facile... »/« Aussi arrive-t-il... »/« Parler alors... » (p. 41-42).

Dans *L'Ignorant* (1956), Jaccottet écrivait :

[Que] l'effacement soit ma façon de resplendir.

Cet « effacement » ne saurait mieux illustrer son rejet des formes traditionnelles du lyrisme.

UNE REDÉFINITION DU LYRISME

Tenant compte de la spécificité de la poésie moderne, le lyrisme ne se définit plus par rapport à la dilatation d'un « moi », mais par rapport à l'émergence d'une parole, d'une voix, de ses interlocuteurs et de ses inflexions.

L'importance accordée à la « voix »

La poésie est d'abord et avant tout un travail sur le langage. Ce travail réside par exemple dans les types de phrases (exclamatives, interrogatives...), dans la nature et l'ampleur du lexique, dans ses connotations[3], dans le choix et la forme des images. En d'autres termes il porte sur la matérialité du langage, sur le signi-

---

1. *Grandiloquence* : éloquence qui abuse des grands mots et des effets oratoire faciles.
2. Pour plus de détails sur ces questions, → PROBLÉMATIQUE 8.
3. *Connotations* : nuances et significations qu'un mot peut prendre, en dehors et en plus de son sens premier.

fiant tout autant que sur le signifié (le sens des mots). Ce travail n'est évidemment jamais identique chez deux poètes. Chacun possède sa façon propre de l'exécuter. C'est ce qui fait dire que toute poésie fait entendre une parole, une manière singulière de dire, une « voix ».

Peu importe, dès lors, que le « je » soit expressément présent dans le poème. Même quand il n'y est pas, il est le support de cette voix. Son absence n'est pas inexistence, mais discrétion et masque. Le poème devient ainsi un lieu paradoxal : c'est un écrit lu (par le lecteur) mais qui est une voix. C'est en quelque sorte un écrit parlé.

Le lyrisme ne se limite donc plus aujourd'hui à l'expression de sentiments personnels, il naît de la voix.

▌Une voix, des interlocuteurs, un lecteur

Cette voix retentit chez Jaccottet de diverses façons. Elle s'élève dès le début de chaque recueil : « Moi [...], j'ai prétendu... » (*Leçons*, p. 11, v. 4) ; « Je l'ai vue droite... » (*Chants d'en bas*, p. 37, v. 1) ; « Dis encore cela... » (*À la lumière d'hiver*, p. 71, v. 1). Comme dans ce dernier cas, elle monologue à plusieurs reprises. Tantôt sur le mode agressif : « Mais regarde-toi donc... » (*Chants d'en bas*, p. 53, v. 2), tantôt sur celui de l'exhortation : « Déchire ces ombres... » (*Parler*, 8, p. 51, v. 1).

La communication convoque fréquemment de nombreux interlocuteurs. Elle s'établit, ou tente de s'établir, avec un mourant : « Toi [...] demeure... » (*Leçons*, p. 33, v. 1 et 8), avec de pauvres « laborieux cerveaux » (p. 18, v. 1), avec des « amis d'un temps » (*Chants d'en bas*, *Autres chants*, p. 57, v. 1), avec la nature et son « air noir et frais » (*À la lumière d'hiver*, II, p. 85, v. 1).

Pour n'être pas nommés, certains interlocuteurs n'en sont pas moins fortement présents, comme l'indique l'emploi des impératifs à la seconde personne du pluriel : « Lapidez-moi... » (I, p. 80, v. 1) ; « Laissez-moi la laisser passer... » (II, p. 89, v. 20).

Les guillemets indiquent par ailleurs l'émergence d'une parole autre, qui est citée (*Leçons*, p. 20 et 25 ; *À la lumière d'hiver*, I, p. 79). De même, des mots ou des vers entiers imprimés en italique suggèrent la présence d'une voix de jadis qui n'est réécoutée que pour mieux être repoussée (*Chants d'en bas, Parler*, 3, p. 46, v. 20-27 ; *Autres chants*, p. 58, v. 40-41).

Si divers soient-ils en apparence, tous ces interlocuteurs n'en font en définitive qu'un seul : ce sont les multiples visages du lecteur. Pas plus en effet que le « je » ne peut se confondre avec la personne privée de l'auteur, pas plus ces interlocuteurs ne renvoient à des êtres réels. « Je » et les destinataires de sa parole sont les acteurs d'une situation de communication.

Une voix aux multiples intonations

Cette voix joue enfin sur plusieurs registres. Elle se fait déploration dans *Leçons*. Elle y est aussi imploration, appel à l'aide, notamment dans le monologue silencieux que « je » prête à l'agonisant : « Qui m'aidera....? » (p. 20, v. 1). Les phrases interrogatives ont souvent une résonance philosophique : « Dos qui se voûte/pour passer sous quoi ? » (*Leçons*, p. 19, v. 13) ; « Qui se venge, et de quoi, par ce crachat ? » (p. 27, v. 10), à propos des souffrances qui torturent le mourant ; ou encore : « toute larme répandue [...] germer un blé inépuisable ? » (*À la lumière d'hiver*, II, p. 93, v. 9-13).

Ailleurs, l'impatience se colore de désespoir : « Écris vite [...] avant que le doute de toi ne te rattrape » (*Chants d'en bas, Autres chants*, p. 64, v. 1-2). Parfois s'élève une prière, adressée non à un dieu auquel le poète ne croit pas, mais à la nature ou à la mort : « Oh puisse-t-il [...] y avoir rémission des peines » comme dans un « enfantin sommeil » (*Parler*, 5, p. 48, v. 9-13). Ou bien un conditionnel présent formule un souhait : « Je voudrais... » (*À la lumière d'hiver*, II, p. 96, v. 1).

Le « je » qui s'exprime varie ainsi les accents et les inflexions de sa voix.

UN LYRISME PARADOXAL

Ainsi redéfini et illustré, le lyrisme offre un aspect souvent paradoxal. Il est plus impersonnel, mais par là même, plus universel, il est nostalgique d'une parole primitive

▌Tendant vers l'impersonnalité

La multiplicité des interlocuteurs, jointe à l'effacement de toute trace autobiographique, crée un lyrisme particulier, éloigné de l'idée que l'on s'en fait traditionnellement. Il ne met plus en scène un « je » unique, exceptionnel mais identifiable, comme chez Hugo ou Lamartine. Il n'est plus une posture. Chez Jaccottet, le « je » se dilue aisément, d'une strophe à une autre. L'avant-dernier poème de *À la lumière d'hiver* (II, p. 96) débute par exemple de la manière suivante :

> Sur tout cela maintenant je voudrais
> Que descende la neige…

Ce qui est formulé là est un souhait de prime abord très personnel. Se réalise-t-il par hypothèse ? Alors « nous saurions », poursuit le poète en impliquant dans son rêve tous ses lecteurs et, au-delà d'eux, tous les humains.

Ce « je » peut même changer d'identité, se muer en « bêtes frileuses », en « taupes maladroites » (*Chants d'en bas, Autres chants*, p. 64, v. 16). Avec ce bestiaire, la dépersonnalisation devient totale. « Je » perd jusqu'à ses caractéristiques humaines.

▌Tendant vers l'universel

Cessant d'être unique, cette voix s'étend à l'universel. Le « je » qui assiste à l'agonie d'un être cher est celui, réel ou potentiel, de n'importe quel lecteur de *Leçons*. Comme lui, nous sommes « instruit[s] au fouet » (p. 23, v. 11). Ce n'est plus « je » qui devient « nous », c'est nous qui devenons « je ». L'universalité est d'autant plus complète que toute mort d'autrui préfigure et annonce la nôtre. De là vient la puissance émotive du recueil.

Qui ne peut, de même, éprouver et reprendre à son compte l'impuissance des mots quand « on ne peut plus se dérober à la douleur » (*Chants d'en bas, Parler,* 1, p. 41, v. 16) ? Et qui ne connaît pas ou ne connaîtra pas un jour la crainte de vieillir, la diminution de ses forces (*Autres chants,* p. 57) ? *À la lumière d'hiver* est une renaissance après un deuil, que chacun peut vivre ou à laquelle chacun peut aspirer.

Même les rêves érotiques renvoient à des images et à des situations ancestrales, primitives, communes (*Chants d'en bas, Autres chants,* p. 60). Le poème, dans lequel ils naissent et prennent forme, ne les présente pas comme les fantasmes d'un individu, mais comme ceux de tout un chacun : « On aura vu aussi... » (*ibid.*, v. 1).

Chez les romantiques du XIXe siècle, le « moi » était le sujet et l'objet du poème. Chez Jaccottet, il se fait communauté.

▍Un écho nostalgique

Ce « je » lyrique conserve enfin la nostalgie d'un âge d'or de la parole où dire, « parler » était synonyme de créer (étymologiquement, le mot grec *poiêsis* signifie « création »). Cette parole n'est pas, comme dans la Bible, d'origine divine. Mais tout l'effort de Jaccottet est de lui redonner magie et pouvoir. Le procès instruit contre le langage n'est pas une condamnation des mots. Il appelle au contraire à en faire, à en élaborer un autre usage, celui qui permettrait de revenir à l'innocence première

> afin qu'encore
> il soit possible d'aimer la lumière
> ou seulement de la comprendre
> (*Chants d'en bas, Autres chants,* p. 72, v. 25-26).

Cette reconquête de la transparence, c'est celle d'un « chant » redevenu possible, d'un lyrisme qui pourrait enfin s'épanouir.

15 | Une poésie moderne et singulière

Un poème de Jaccottet ne saurait se confondre avec aucun autre, tant l'écriture en est originale. La libération de la forme est chez lui au service d'une exploration des limites et d'une « voix » singulière.

UNE LIBÉRATION DE LA FORME

Cette libération se manifeste dans une pratique particulière du vers, dans la création d'une nouvelle forme de poème ainsi que dans l'alliance subtile des sons et du sens.

Une pratique particulière du vers

Le vers de Jaccottet n'obéit à aucune contrainte métrique traditionnelle. Aucun des trois recueils ne privilégie un mètre plutôt qu'un autre. Tous mêlent des vers pairs et impairs, des vers courts et des vers longs. Même à l'intérieur d'un poème, aucune règle n'explique ni ne justifie le passage des uns aux autres. Tout au plus remarque-t-on que *Leçons* compte plus de vers brefs que les deux autres recueils. C'est que l'affectivité y commande la forme : la brièveté traduit l'intensité émotionnelle. Ces vers ne conservent de la versification que le retour à la ligne. Encore ce retour ne débute-t-il presque jamais par une majuscule. Remontant aux années 1880, cet usage du vers libre n'est certes pas de l'invention de Jaccottet. Mais la pratique (du moins dans ces trois recueils) en est chez lui systématique. Elle ôte volontairement tout confort de lecture. Elle oblige à une attention soutenue, dans la mesure où sans cesse elle surprend (pour plus d'exemples et de détails, → PROBLÉMATIQUE 5).

Une nouvelle forme de poème

Pas plus que le vers, le poème n'obéit à de quelconques formes fixes. L'organisation en strophes est absente ou irrégulière. Déjà déstructurée par l'hétérométrie, la strophe l'est encore par la disparition de la rime, qui la prive de toute unité phonique. Séparant des groupes de vers, les blancs ne constituent pas seulement une aération du texte : en interrompant l'enchaînement des vers, ils introduisent le silence dans la parole poétique. Les blancs sont le temps de la méditation, du recueillement. Ils peuvent aussi préparer un effet de surprise ou mettre en valeur un mot ou un vers :

> j'apprends à leurs pieds la patience :
>
> ils n'ont pas de pire écolier (*Leçons*, p. 14, v. 8).

Enfin, la frontière entre poème et texte en prose tend à s'estomper. Comment qualifier la plupart des textes composant la première partie (*Parler*) de *Chants d'en bas* ? Par exemple :

> Parler est facile, et tracer des mots sur la page,
> En règle générale, est risquer peu de chose (p. 41, v. 1-2).

Seule la disposition typographique empêche de penser que l'on est dans l'univers ordinaire de la prose (→ PROBLÉMATIQUE 5).

Les jeux des sons et du sens

Cependant, le rejet des contraintes de la versification classique ne livre pas l'écriture au hasard ou à l'improvisation. Le rythme devient plus que jamais essentiel. Nombreux sont par exemple les enjambements[1], produisant des effets de ralentissement :

> [...] et que tes yeux
> restent pareils au ciel neuf
> (*Chants d'en bas, Autres chants*, p. 63, v. 3-4),

ou des effets d'accélération, de chute brutale :

> comme le sang qui se disperse, fourvoyé,
> dans l'inconnu (*À la lumière d'hiver*, p. 71, v. 14-15).

---

1. *Enjambement* : rejet d'une partie de la phrase sur le vers suivant.

Souvent les sonorités se répondent entre elles dans de subtils jeux d'échos, que seule une lecture à voix haute rendent perceptibles, comme ce retour de la consonne sonore [r] dans :

> on le déchi*re*, on l'a*rr*ache
> Cette chamb*re* où nous nous se*rr*ons est déchi*rée*
> (*Leçons*, p. 25, v. 1-2).

Outre le sens, ce sont les rythmes et les sonorités qui associent les mots entre eux.

UNE EXPÉRIENCE DES LIMITES

Cette libération de la forme n'a rien de gratuit. Elle correspond au contraire à un horizon nouveau de la poésie : celui des frontières et des limites. Dire non pas la mort mais le mourir, dire l'invisible, chercher sous les mots, telle est l'ambition de la parole poétique.

Dire le mourir

De nombreux poètes ont parlé de la mort, de la souffrance provoquée par la disparition d'un être cher ou du souvenir laissé par un défunt. Peu ont évoqué le mourir. En effet, le processus par lequel on passe de vie à trépas est par définition indicible. Le vivant ne peut encore dire quel est ce processus, le mort ne peut plus dire quel il a été. C'est pourtant à cette réalité, à jamais unique et obscure, que s'attache *Leçons*. Jaccottet ne décrit pas – chose impossible – le processus mortel de l'intérieur, mais il évoque les résonances intérieures que ce processus provoque en nous. Il s'approche, et nous avec lui, de cet espace mystérieux qui s'étend de la perte du langage de l'agonisant à son décès. Le recueil tient presque tout entier entre le « premier coup » (p. 15, v. 1) de l'agonie et la fin, le « déjà ce n'est plus lui » (p. 27, v. 1). Rarement tentative poétique n'est allée aussi loin.

Dire l'invisible

Cette exploration s'accompagne d'une autre recherche : celle du passage conduisant du visible à l'invisible. Non que Jaccottet croie en l'existence d'un au-delà ou d'une survie de l'âme, mais il se demande s'il ne subsiste pas d'une façon ou d'une autre une certaine présence des morts. C'est le thème principal de *Chants d'en bas*. Mais comment capter, retenir cette présence absente ? La présence est une notion claire, l'absence également. Mais qu'en est-il de l'entre-deux, de ce qui n'est plus présent, mais peut-être pas totalement absent ? C'est cette réalité qui conduit du visible à l'invisible, qui contient de l'invisible dans le visible, que tente de rendre sensible la poésie de Jaccottet : « Si c'était quelque chose entre les choses... » (*À la lumière d'hiver*, I, p. 80, v. 4). C'est parfois, dans tel poème, l'impossibilité de savoir si c'est « en rêve ou non » (*Chants d'en bas, Autres chants*, p. 60, v. 1). C'est ailleurs la saisie fugitive d'un état de grâce, de la révélation d'un accord possible entre soi et le monde (*À la lumière d'hiver*, II, p. 85-87) [pour plus d'exemples et de détails, → PROBLÉMATIQUE 8].

Dire au-delà ou en deçà des mots

Cette exploration des limites touche enfin celles du langage. Jaccottet possède une vive conscience de l'impuissance des mots à changer le réel, notamment la souffrance. Quand ils ne sont pas inefficaces, les mots peuvent faire écran entre le réel et nous. C'est pourquoi le poète cherche ceux qui « devraient faire sentir

> ce qu'ils n'atteignent pas, qui leur échappe
> dont ils ne sont pas maîtres
> (*À la lumière d'hiver*, I, p. 82, v. 21-22).

Faute de pouvoir élaborer un nouveau lexique, Jaccottet use du pouvoir de suggestion des mots ordinaires, joue sur leurs connotations. Par elles, les mots disent en effet plus que ce qu'ils désignent (la dénotation). Elles établissent des correspondances entres les sensations et les éléments pour donner accès à une autre réalité ou une autre vision de cette réalité (pour plus de développements et d'exemples, → PROBLÉMATIQUE 9).

UNE VOIX SINGULIÈRE

Est « singulier » ce qui est à la fois individuel et unique. Telle est la « voix » de ce « je » poétique présent dans les trois recueils. C'est une voix hésitante, juste et émouvante.

Une voix hésitante

La poésie de Jaccottet est dénuée de certitudes. Les marques lexicales du doute sont nombreuses. Hypothèses et interrogations se succèdent au détriment des affirmations. Voici un court relevé d'exemples empruntés à *Chants d'en bas* : « comme si » (*Parler*, 2, p. 44, v. 19, 20) ; « comme une sorte de bonheur » (3, p. 45, v. 8), « est-ce mensonge, illusion ? » (v. 14) ; « Y aurait-il des choses... » (4, p. 47, v. 1) ; « si c'est chercher... » (7, p. 50, v. 1), « Si c'est porter un masque... » (v. 5) ; « N'y a-t-il donc... » (*Autres chants*, p. 57, v. 7), « N'y a-t-il pas » (v. 13) ; « Si je me couche contre la terre, entendrai-je... » (p. 61, v. 1) ; « On voudrait croire... » (p. 65, v. 8).

L'exploration des limites explique cette prudence. Comment, en effet, être sûr de quoi que ce soit ? C'est pourquoi on a pu parler à propos de Jaccottet d'une « poétique du retrait[1] ».

Une voix « juste »

Tout autant que des certitudes, Jaccottet se méfie de l'emphase et des procédés rhétoriques qui, selon lui, cachent des facilités de langage et de pensée : « Parler est facile... » (*Chants d'en bas, Parler*, 1, p. 41, v. 1). Son souci est la justesse : justesse du ton et justesse du mot. C'est pourquoi il se corrige lui-même ou plutôt il se nuance, comme dans cet exemple :

---

1. Jean-Luc Seylaz, *Philippe Jaccottet, une poésie et ses enjeux*, Lausanne, L'Aire, 1982.

comme si la parole rejetait la mort
ou plutôt, que la mort fît pourrir
même les mots ?

(*Chants d'en bas, Parler,* 4, p. 47, v. 7-9)

La justesse peut s'exprimer dans une auto-interrogation : « si c'est chercher... chercher quoi ? » (7, p. 50, v. 1). Ou encore dans une autocondamnation :

[...] j'ai dit :
« c'est la fragilité même qui est la force »,
facile à dire ! et trop facile de jongler

(*À la lumière d'hiver,* I, p. 77, v. 3-4).

Ou dans l'aveu de sa propre impuissance à « redresser avec de l'invisible chaque jour » (*Chants d'en bas, Autres chants,* p. 59, v. 46).

Une voix émouvante

Enfin, la thématique des trois recueils rend cette voix poétique émouvante. Elle s'organise en effet autour de la mort, de la mort de ceux qu'on aime, autour du souvenir qu'on peut garder d'eux, autour d'Éros et de Thanatos (de l'amour et de la mort), autour du travail de deuil. Ce sont là des expériences profondément individuelles mais en même temps collectives. Nul n'y échappera. L'effacement de toute trace autobiographique facilite leur appropriation. Le lyrisme impersonnel de la poésie de Jaccottet n'en touche que davantage le lecteur (sur cette question, → PROBLÉMATIQUE 14). « Je » devient chacun de nous.

Bibliographie sélective

ÉTUDES SUR LA POÉSIE MODERNE

- COLLOT Michel, *La Poésie moderne et la structure d'horizon*, Paris, PUF, coll. « Écriture », 1997. Ouvrage d'accès parfois difficile, mais devenu un « classique » indispensable.
- JARRETY Michel (dir.), *Dictionnaire de poésie de Baudelaire à nos jours*, Paris, PUF, 2001.
- PINSON Jean-Claude, *Habiter en poète. Essai sur la poésie contemporaine*, Seyssel, Champ Vallon, 1995.
- THELOT Jérôme, *La Poésie précaire*, Paris, PUF, 1997. Lecture indispensable pour comprendre la notion de poésie précaire.
- RABATE Dominique (dir.), *Le Sujet lyrique en questions*, Bordeaux, Presses universitaires de Bordeaux, 1996. Une redéfinition de la problématique lyrique.

SUR LA VIE ET L'ŒUVRE DE JACCOTTET

- STEINMETZ Jean-Luc, *Philippe Jaccottet*, Paris, Seghers, coll. « Poètes d'aujourd'hui », 2003.

OUVRAGES CONSACRÉS EN TOUT OU PARTIE
À L'ÉTUDE DE L'ŒUVRE DE JACCOTTET

- BLANCKEMAN Bruno (dir.), *Lectures de Philippe Jaccottet*, Rennes, Presses universitaires de Rennes, 2003. Ouvrage regroupant plusieurs études sur *Leçons*, *Autres chants*, *À la lumière d'hiver*.
- CHAVANNE Judith, *Philippe Jaccottet : une poétique de l'ouverture*, Paris, Seli Arslan, 2003. Une étude savante sur « l'ouverture » au monde et aux choses.
- CHAMPEAU Serge, *Ontologie et poésie. Trois études sur les limites du langage*, Paris, Vrin, 1995.
- DUMAS Marie-Claire (dir.), *La Poésie de Philippe Jaccottet*, Paris, Champion, 1986.

- GERVAIS-ZANINGER Marie-Annick et THONNERIEUX Stéphanie, *Jaccottet,* Neuilly, Atlande, 2003. Une étude précise et toujours savante (destinée aux agrégatifs) des trois recueils.
- LEBRAT Isabelle, *Philippe Jaccottet, tous feux éteints : pour une éthique de la voix*, Paris, Bibliophane, 2002. De la « voix » comme support lyrique.
- MATHIEU Jean-Claude, *Philippe Jaccottet : l'évidence du simple et l'éclat de l'obscur,* Paris, José Corti, 2003. Un essai approfondi sur le thème, capital, de la lumière.
- MONTE Michel, *Mesures et passages : une approche énonciative de l'œuvre poétique de Philippe Jaccottet,* Paris, Champion, 2002. Une analyse linguistique.
- NÉE Patrick, *Philippe Jaccottet. À la lumière d'ici,* Paris, Herman, 2008. Une étude sur la vision du monde de Jaccottet.
- ONIMUS Jean, *Philippe Jaccottet, une poésie et ses enjeux*, Seyssel, Champ Vallon, 1982.
- SEYLAZ Jean-Luc, *Philippe Jaccottet, une poésie et ses enjeux*, Lausanne, L'Aire, 1982. La poésie selon Jaccottet.

Cet ouvrage a été imprimé en France par CPI Bussière
à Saint-Amand (Cher), VIII-2011.
Dépôt légal : 94861-9/01-août 2011. N° d'imp. : 112515/1.